Bailar contigo el último cuplé

Rogelio Riverón

Bailar contigo el último cuplé

Ganadora del Premio Italo Calvino 2008

Colección Marea Alta

México • Miami • Buenos Aires

Bailar contigo el último cuplé

D. R. © Editorial Lectorum, S. A. de C. V., 2009
Centeno 79-A, col. Granjas Esmeralda
C. P. 09810, México, D. F.
Tel.: 5581 3202
www.lectorum.com.mx
ventas@lectorum.com.mx

L. D. Books Inc.
Miami, Florida
sales@ldbooks.com

Lectorum, S. A.
Buenos Aires, Argentina
lectorum-ugerman@netizen.com.ar

Primera edición: marzo de 2009
ISBN: 978-607-457-006-9

Impreso y encuadernado en México
Printed and bound in Mexico

Para Kathy, que aún me está escribiendo.

Esta noche cenaré con mi espectro.
Alexandr Blok

... y luego, de pronto, le preguntó
si no lo habían asaltado.
Miguel Collazo

I

—Son dos negros —dijeron la Bella y la Cupletista—, pelados al rape, flacos, y uno tiene la voz de un cantante de ópera.

Pero los policías querían más detalles, por ejemplo, la edad aproximada de ambos, la estatura.

—Si se apuran un poco, los agarran —les dijeron en respuesta—; no hace nada que se fueron por esa esquina.

—Correcto —aceptaron los policías—, pero ¿seguro que están bien?

—Pues, claro, compañeros.

Y uno de ellos extrajo su *walkie-talkie* y trató de poner sobre aviso a sus colegas.

—¿Nos podemos ir? —preguntaron entonces, casi a dúo.

—Sí, vayan —respondió un agente—, y tengan más cuidado las tres por esas calles oscuras.

—Te salvaste —le dijeron a la mujer cuando habían dejado atrás a los policías—, si llegas a decirles que te estábamos asaltando, te hubiéramos apuñalado allí mismo, aunque después ellos sacaran las pistolas y nos tirotearan.

La mujer, enmudecida, les entregó lo que llevaba y se escurrió pegada a la pared.

—Vamos —dijeron, entonces—, por hoy es bastante —y salieron en busca de una *guagua* que las llevara a dormir lejos de La Habana Vieja y su bullicio de bares y de paseantes, y de las impúdicas oportunidades para ganar dinero.

Llegaron a la casa y una dijo: "¡Qué cansada estoy!, no voy ni a mear", y cayó en la cama a medio desvestir, mientras la otra seguía hacia un rincón, rebuscaba en cazuelas heladas, se metía algo en la boca, iba al baño, permanecía después frente a la ventana unos minutos observando la noche (ahora silenciosa), escuchaba el ulular distante de un perro, suspiraba, se dirigía a la cama. "Muévete un poco", decía, buscando su espacio.

Despertaron tarde, hambrientas y morosas, estirándose con expresión contrariada, como si el sueño en realidad las hubiera agotado. Casi enseguida una fue hasta el equipo de música y puso un bolero sentencioso y suave, para atemperar el ambiente del cuarto escaso de luz, escaso de muebles —apenas un viejo sofá que dificultaba el paso, una mesa redonda y dos sillas contra la cama— y salpicado de ropa por aquí y por allá: unas blusas sobre la mesa, unos *jeans* en el sofá, un ancho pañuelo de seda en el respaldo de una silla.

Cuando el olor de un pésimo combustible comenzaba a esparcirse por el cuarto, alguna dijo:

—Un día nos va a comer la mugre. Deberíamos limpiar un poco, ventilar esta cueva.

—Quema un palo de incienso —replicó la otra—. El incienso se lleva los malos olores y es como si hubieras limpiado.

Callaron unos minutos durante los que en el cuarto reinó el resuello del fogón de queroseno. Después, la Bella comentó:

—Si supieras lo que soñé anoche...

—Desahógate —sugirió la Cupletista.

—Soñé que asaltábamos a una mujer.

—Qué bueno.

—Y que nos sorprendió la policía.

—Coño.

—Pero entonces fingimos ser las víctimas y los policías se lo creyeron.

—¿Cómo hicimos?

—Tú mencionaste a unos negros. Aseguraste que las tres éramos víctimas, que los negros nos habían asaltado a las tres, y la mujer no te desmintió. Si supieras lo claro que veo todavía el miedo en su cara... Se le había congelado la mirada. La aterraba pensar que pudiéramos matarla allí mismo.

—Tanto detalle para qué —protestó la Cupletista.

Después hizo como si le interesara el relato del asalto y dijo:

—Unos negros... Unos negros...

—Dos, flacos, sin pelo, perfumados, y uno tenía la voz gruesa, como si pesara en realidad 200 libras.

Almorzaron a media tarde y comenzaron a prepararse para la noche. Parecía que alimentaban un ritual de doble filo: bañarse, amoldarse el cabello, pintarse las uñas; todo como si les disgustara y al mismo tiempo fuera alentador, promisorio. En esos trajines andaban cuando llamaron a la puerta. Era Rítzar, macilento, silencioso, a veces risueño; "con los ojos perdidos no se sabe en qué sitio", pensó la Bella, "como siempre".

Le ofrecieron un té y él indagó por algo de ron para mezclarlo. Le indicaron una botella a punto de vaciarse, y sonrió. "Es lo único que hay", escuchó que le advertían, y se acomodó en una esquina del sofá, y ellas parecieron olvidarse de su presencia por un rato. Después, una le preguntó por los libros, por Anazabel.

Rítzar bebió del té y suspiró.

—Ahí —dijo y volvió a beber.

—¿Los libros o ella? —indagó la Cupletista.

—Las dos cosas —contestó él.

—Esos amores oscuros —comentó la Cupletista.

—Así está bien —susurró él—, oscuros y todo.

—Allá tú —estimó la Cupletista.

Eran amigos sin saber bien por qué. Puestos a buscar la lógica de aquella relación, tal vez los tres se encogerían de hombros, desistieran de las explicaciones. Lo cierto es que las visitas de Rítzar tenían algo de cíclico, de imprecisa simetría. Recalaba en aquel cuarto cada cierto tiempo, siempre a matar su melancolía en la sombra, lejos del mundo. "Esa Anazabel es una puta", habían tratado de explicarle sus amigas, "fina y simpática, pero puta, Rítzar", mas él era terco. En todo caso, no se trataba sólo de ella, pensaba.

—Dejen eso así —les pidió ese día—, que yo veré qué hacer.

II

Inclinado a fabular, Rítzar advertía una especie de parábola en la manera en que había conocido a Anazabel. Fue en el verano, una tarde en que de pronto pareció que se gestaba un pequeño diluvio. Miró entre los edificios hacia el norte, de donde soplaba el presagio, y como andaba lejos de su casa, se dijo que mejor trataba de encontrar una *guagua* antes de que se hiciera la lluvia. Estaba en Ayestarán y debía llegar hasta Monte, pero enseguida comprendió que no tenía paciencia para aguardar y siguió a pie, cruzó frente a la Plaza de Carlos III y se alejó por la acera, entre los vendedores tumultuosos y siempre algo agresivos, y la gente que paseaba ajena a la vecindad del agua, según creyó. Sólo por curiosidad, pues no se había dejado intimidar por la inminencia de la lluvia, volvió a escrutar el cielo entre los edificios, hacia el norte. El gris oscuro de las nubes se iba trasladando hacia Carlos III, y de vez en cuando unas gotas reventaban contra el pavimento, pero se contenían de repente, como mandadas a esperar por un influjo caprichoso.

Unas cuadras más allá, Rítzar se vio alcanzado por un bullicio gradual y se apresuró, en busca de una explicación. En la esquina descubrió al grupo de observadores y un mechón de humo que se escapaba de un edificio.

Se detuvo a mirar a la distancia el humo que, desde el último piso, trepaba al cielo despacio, desdibujado por leves golpes de un viento que olía a humedad. El fuego no era considerable. De hecho, comentaban algunos, había sido controlado por los mismos vecinos antes de que aparecieran los bomberos. Una débil guedeja se elevaba todavía, irresoluta, cada vez más desorganizada a causa del viento, y un olor, también contenido, a madera chamuscada se dejaba caer sobre los transeúntes. Por entre la gente que se había detenido a observar, Rítzar distinguió a una muchacha que venía del edificio y, cuando la tuvo cerca, descubrió que estaba llorando.

Quiso saber qué le sucedía, pero ella le dijo que no, que no era nada, sólo se había dejado impresionar por el fuego. Le gustó aquella forma de decirlo: "Sólo me he dejado impresionar por el fuego", y lo rondó la idea de que tal vez la muchacha no fuera cubana.

—Me llamo Anazabel —dijo ella—, y soy cubana; una cubana del Cotorro con un nombre poco usual.

Sonrió Rítzar y se autorizó a mirarla con algún detenimiento. Era trigueña, de pelo largo, negrísimo, y una cintura que estaba más allá de sus palabras, y unos brazos fuertes, y una boca pequeña, y unos ojos que ahora reflejaban reposo tras los espejuelos.

Finalmente la lluvia había comenzado a repicar en la acera, y el coro frente al edificio, del que ya no brotaba humo, se iba disipando. Anazabel intentaba sonreír y, mientras subían a los portales, Rítzar comprendió que no podía dejarla escapar. Ella murmuraba algo sobre el fuego en el edificio, pero él no la escuchaba. Atropelló la frase al proponerle otro encuentro y ella, mirando a lo lejos la calle mojada, dijo despacio que bueno, que estaba bien, que si tenía paciencia cualquier día se la iba a encontrar en un recodo del malecón, cerca del Prado, cerca de un edificio al que llamaban De las Cariátides. Para colmo, la lluvia cesó de forma repentina, fue tan simulada como el incendio de poco antes, y Anazabel declaró que debía marcharse. Rítzar se apresuró a decir que pronto, al día siguiente, iría a buscarla, porque no quería que su imagen se le volviera humo, como el que un momento atrás la había hecho impresionarse, y la acompañó un poco más, hasta que se despidieron.

Sentados en el muro del malecón la tarde en que finalmente volvieron a encontrarse, Anazabel no demoró en confesarle que acababa de salir de una relación difícil: "Hasta hace poco tuve marido", dijo, y él no pudo entender si lamentaba la separación o se alegraba de ella. Después hizo una pausa y miró a lo lejos, donde el mar se volvía cielo, o al revés. A su lado, también en silencio, Rítzar comenzó a sentirse extraño, pensó que hubiera sido mejor que ella se reservase su historia para más adelante, que en un momento así necesitaba oírla hablar sobre otras cosas, pero después se rebeló contra aquellos escrúpulos y decidió que no había nada incongruente, nada capaz de sugerir que su relación con ella no iba a tomar un camino fascinante.

Sin que mediaran palabras, Anazabel le dio la razón. Extrajo de su bolso un libro y se lo puso delante de los ojos con júbilo repentino, como si hubiera estado aguardando un buen momento para darle la sorpresa. Era *Hombres sin mujer*, la novela del escritor cautivo Carlos Montenegro, en una edición de papel descolorido, fea y punzada de erratas.

—*Hombres sin mujer*, edición de Letras Cubanas, 2001 —dijo Rítzar en tono doctoral.

Anazabel se extrañó de su precisión y quiso saber si le gustaba la literatura, si le gustaba Montenegro. Él le dijo que no sólo le gustaba, sino que, de hecho, lamentaba que existiese una cosa como aquella: la literatura. "Una cosa", la había llamado, y Anazabel abrió exageradamente los ojos y se echó a reír.

—Mejor no te ríes y aprovechas para conocerme —teatralizó Rítzar—, aquí tienes a un escritor.

Después hizo como si titubeara.

—O algo semejante —agregó enseguida y notó que, por raro que pudiera parecerle a él mismo, comenzaba a sentirse cómodo en la compañía de aquella mujer con ojos de andaluza.

Ella miró despacio al mar, miró a Rítzar y al mar otra vez. Comenzó a sonreír, pero con una especie de mansedumbre en la mirada.

—Vivo de escribir —precisó Rítzar—, pero lo hago en la sombra.

Y le contó cómo subsistía de la venta de ideas: era un *ghostwriter*, un testaferro, un negro, como también se dice en español. Escribía libros que firmaban otros, gente famosa que no sabía redactar, pero podía darse el lujo de pagar por ello y aparecer después en las cubiertas con trazos inmaculados. Ésos eran sus clientes: músicos, deportistas, militares. Sólo tenía que entrevistarse con ellos y entonces se ponía a escribir. En un par de encuentros quedaba todo definido: biografías, disertaciones, testimonios bélicos. Después, raras veces no estaban de acuerdo con las versiones que, sobre sus propias vidas, él les proponía.

—Me he convertido en un experto —sonrió—, no imaginas la cantidad de gente que me busca.

Anazabel no lo imaginaba. De hecho, no le había pasado por la mente que existiera una profesión así, y mucho menos que tuviera cierta demanda. Pero si Rítzar no exageraba, si no se burlaba de ella, el asunto era por lo menos curioso.

—Hasta escritores de ficción en aprietos —puntualizó Rítzar—. Yo les hago el trabajo y los dejo asombrarse de lo bien que escriben. Son engreídos hasta en el momento de pagar. Estoy seguro de que, al cabo de un tiempo, olvidan que existo, que no fueron ellos quienes escribieron esos libros.

Sonrió con un dejo de cansancio. Anazabel había notado que, mientras hablaba, se había ido poniendo serio, como si las frases se le hiciesen pesadas, amargas.

—¿Y por qué no escribes tus propios libros? —se atrevió a preguntar.

Rítzar negó con la cabeza.

—No sé —comentó—, supongo que hay un destino, y el mío es ser patético; patético y mordaz, como los grandes perdedores.

Suspiró y miró a Anazabel, ahora con una expresión un poco más calmada.

—Hay cosas que simplemente necesitan ser escritas —dijo—, que deben ser escritas a cualquier precio. Entonces, no importa quién lo hace, sino el puro acto de la letra.

Guardó silencio nuevamente. Lo que acababa de decir lo había meditado durante un buen tiempo y no se ocultaba la pizca de extravagancia que lo sazonaba. Pero aun sabiéndolo, insistía. Era una de esas verdades riesgosas que nos acompañan una buena parte de nuestras vidas y nos hacen dudar, no porque vayan a resultar una falsedad, sino porque probablemente nunca seamos capaces de explicarlas. Con aquella frase: "Hay cosas que simplemente necesitan ser escritas", no quería tampoco decir que fueran cosas sorprendentes. En ellas, el criterio estético no tenía protagonismo, pues estaba convencido de lo inevitable, de que, así como se redactan páginas que incluso si no atinamos a leerlas nos hacen de todas formas la merced de existir, también se escriben muchas otras sin mayor importancia. Cambió de posición, estiró una pierna, como si se le hubiese adormecido, y preguntó:

—¿Te acuerdas de Rusticello de Pisa?

Anazabel no lo recordaba. Y estaba segura de que el hecho de haberse graduado en la Facultad de Letras no era obligación para conocer a Rusticello.

—Es el verdadero autor de *El libro de las maravillas* de Marco Polo, quien se lo dictó en la cárcel. Como te imaginarás, en ese libro está la mente de Marco Polo y la mente de Rusticello, pero el estilo es todo del último —Rítzar se detuvo y tomó aliento. Añadió:—. Rusticello es el dueño del espíritu de esa obra inmortal, pero hasta los humanistas de ahora lo ignoran. Para colmo, el de Pisa tenía fama de mentiroso, por el carácter de su propia obra, de la cual se decía protagonista. Así que, ¿es realmente tan extraño que yo escriba para otros? ¿Acaso soy mejor que Rusticello? —concluyó con un gesto de sarcasmo.

—Si tú lo planteas así —comentó Anazabel—, ni eres mejor que Rusticello ni él mejor que tú. Pero no cuesta mucho entender que lo que te cuentan otros para que tú se lo pongas en letra impresa no debe ser tan fascinante como la vida de Marco Polo.

—Estoy de acuerdo —dijo Rítzar—, y ése es mi dilema. En él pienso una y otra vez, pero me he ido acostumbrando.

Quedó un rato en silencio, y ella, para hacerlo cambiar de ánimo, volvió a hablar de *Hombres sin mujer*. Afirmó que ése había sido, pocos meses antes, el motivo de su tesis de grado.

—Tu nueva amiga es toda una filóloga —recitó—, aunque serlo no la entusiasme demasiado. Sólo te puedo contar que, desde que conocí este libro, he tenido problemas con los hombres.

—Vaya —dijo él.

—¿Tú no eres supersticioso? —preguntó Anazabel.

Rítzar sonrió. Observándola, creyó que su mirada también era irónica, de una ironía como a gotas, discontinua, pero insistente. La idea lo disgustó un poco. Anazabel se dejó mirar otro tanto. Después se le aproximó y susurró:

—A mí me gustan los supersticiosos. Todos mis amigos lo son.

Oscurecía y el sol, grande y naranja, se dejaba caer en el agua hacia el final del malecón, donde se adivinaban los muros de un pequeño castillo. "Vamos", pidió ella y él se puso de pie y le tendió una mano para ayudarla a descender, y ella, en efecto, se deslizó hasta el suelo, pero lo rozó a propósito con todo el cuerpo, y terminó colgándosele del cuello para que la besara. Él le buscó los labios y la sintió suspirar. Suspiró a su vez, pues ya había comenzado a temer que ella no le permitiera aquella cercanía que llegó a considerar lógica, impostergable, y siguió besándola sin prisa, empujándola suavemente contra el muro del malecón, y notó cómo ella solo abría la boca y le dejaba el resto a él, pero aquella táctica no lo molestaba. Recorrió su lengua, conoció el calor de aquella boca semiabierta que exhalaba pequeños gemidos y sintió, finalmente, cómo Anazabel le tomaba una mano y la empujaba hacia sus muslos.

Buscó una brecha en el vestido, apartó el blúmer y tomó un poco de la humedad que la inundaba. Con ella le untó la boca y la siguió besando.

III

Destilando un complicado perfume, salieron la Bella y la Cupletista, a esa hora en que aún no es noche y ya no es día, y las cosas aparentan un matiz de quietud capaz de confundir: bienaventurados los que se confunden con el anochecer. Una estaba impaciente por llegar a La Habana Vieja, "la verdadera Habana", decía, "el verdadero *downtown* de esta ciudad de locos", y refunfuñaba, pues la otra, con su manía de escoger vestidos, se había demorado hasta la exageración. "¿Tú de verdad te crees eso de que eres la Bella?", decía la Cupletista malhumorada, taconeando con una energía un poco sentimental para subir a la *guagua* seguida de su amiga, que no hablaba: aparentemente ensimismada, la Bella le alargó al chofer un billete y se puso a silbar al fondo del pasillo. En la parada siguiente subió un hombre tocado con un sombrerucho de casimir, que mal conseguía hacer pasar su guitarra por entre los pasajeros que viajaban de pie. Había una sospechosa similitud entre el color del sombrero y el de la guitarra. Como al habla consigo mismo, el hombre casi enseguida dijo que ahora venía el bolero más hermoso que había compuesto en su vida. Lo reiteró así:

—Este bolero hace llorar a un difunto —y cantó:

"Después de tanto tiempo, al fin te has ido,
y en vez de lamentarme he decidido
tomármelo con calma.
De par en par he abierto los balcones,
he sacudido el polvo
a todos los rincones de mi alma".

Hizo una pausa y comprobó que la gente seguía impasible, cada viajero en lo suyo, como si no existieran él y su guitarra. Añadió:

"Me he dicho que la vida no es un valle
de lágrimas, y he salido a la calle
como un explorador.
He vuelto a tropezar con el pasado
y he pedido, en el bar de mis pecados,
otra copa de ron".

Se detuvo. Miró hacia delante y empuñó otra vez la guitarra, pero ya la gente había comenzado a burlarse, a protestar. Rasgó las cuerdas e hizo una pausa, como si le costara encontrar los acordes precisos, pero cuando tomaba otro impulso, alguien lo mandó a callar, a dejar el concierto para cuando bajara de la *guagua*.

—De eso nada —se encaró con todo el ómnibus—, a mí ahora hay que pagarme. Ya yo canté lo mío —reiteró—, a mí no me cogen de mono.

—Éste viene con deseos de divertirse —intervino una voz—. Viene con deseos de joder.

—Deseos, tranca —provocó el guitarrero—. Deseoso es aquel que huye de su madre.

La gente acogió su provocación con silbidos y risas, pero ya el ofendido había saltado de su asiento y se abría paso por entre el pasillo atiborrado. Llevaba una levita de casimir, como el sombrero del cantante, y tendría, como él, poco menos de 60 años. Por alguna razón trataba de asir el sombrero, mientras advertía que a su madre nadie la injuriaba, pero el cantante reculaba con la cabeza hacia atrás y la guitarra a modo de panoplia. Después realizó un giro rápido y quedó de costado, comprimiendo a la gente que tenía a la espalda, y lanzó breves mandobles con el instrumento. El de la levita insistía en que su madre era una cosa sagrada, en que él a su madre la visitaba todos los días, en que agraviarla era una declaración de guerra, pero el cantante, ahora olvidado de reclamar el pago por el bolero, decía, burlón:

—Deseoso es dejar de ver a su madre.

El de la levita bufó. De una sacudida mal despejó el pasillo de la *guagua* y se quedó solo frente al guitarrero. Dijo algo que nadie logró entender y lanzó un golpe de puño, pero antes de encontrar su blanco recibió un guitarrazo en la cabeza que lo detuvo en seco. Fue como si, además, los pasajeros hubieran estado aguardando una transformación. Lo que pareciera una farsa se les aparecía ahora ritualizado por el golpe en la frente del hombre que trataba de sostenerse con una mano, mientras con la otra tanteaba en el bolsillo inferior de la levita, en procura de un pañuelo para la sangre que suponía bajándole por la cara.

El ómnibus se había detenido y la gente miraba con raro desprecio al agresor. La lentitud de aquel desprecio los sumía en una apariencia cinematográfica que lo desconcertó y lo impulsó hacia la salida, mientras murmuraba insolencias que eran su manera de justificarse. Al pasar resoplando frente a la Bella Repatriada, le dejó en el rostro un olor a alcoholes arcaicos.

Penetraron por Obispo a la parte en que La Habana se hace describir con metáforas cansadas, rutilantes, de guías para turistas, pero aún se les veía impresionadas por el encuentro entre el guitarrero y el de la casaca. La calle estaba iluminada, tranquila, y sólo a intervalos una esquina se llenaba de música, como breves focos de resistencia a la quietud de la velada por estallar.

—Todavía es temprano —dijo la Bella tratando de serenarse, de pensar en algo seductor—. Esto no se pone bueno hasta dentro de una hora, o de dos.

Su amiga se contoneaba a su lado, parsimoniosa y con expresión aburrida, mirando a las vidrieras, mirándose las uñas en silencio, lo cual la hizo temer que la pelea en la *guagua* le hubiera descompuesto el arrojo y ya no pudieran procurarse nada esa noche. Distraídas ambas, no habían advertido a los dos hombres que avanzaron hacia ellas y las hicieron detener con una reverencia.

—¿A dónde van las señoritas? —dijo uno marcando las eses y entonando como un ibérico.

—¿Salieron a calentar la noche? —dijo el otro—. ¿Tienen alguna preferencia que estos caballeros puedan atender?

Callaron. Callaban los cuatro, hasta que la Cupletista dijo:

—Sigue, que éstos son tan gallegos como el Morro.

Los hombres comenzaron a reír. Lanzaban besos y reían, agregaban promesas de ser tiernos, de ser comprensivos, y la Bella y la Cupletista los miraban de reojo y reculaban graciosamente, con una mueca de desprecio.

—Bandoleras —decían los hombres—, pájaras perfumadas es lo que son.

Escaparon de los provocadores pegadas a la pared y, cuando comprobaron que no las perseguirían, trataron de caminar con holgura, adoptando poses de damas refinadas.

Al rato, algo frente a un bar las detuvo (más tarde ninguna de las dos sabría exactamente qué) y se quedaron tranquilas en la entrada, observando, vueltas a ilusionarse. Había escasos clientes y una música serena que se dejaba cortar por el ruido de vasos entrechocados con insistencia por unos parroquianos en las mesas del fondo. Miraron todavía unos minutos y se volvieron en busca de la calle. Entonces, una desanduvo unos pasos, picada por alguna visión furtiva, casi como un reflejo.

Acodada sobre la barra, descubrieron a una mujer que se dejaba estar jugueteando con una botella.

—Eso es —susurró la Cupletista, pensando que quizás tuvieran allí una buena oportunidad.

Por las ropas, por el color de la piel y el pelo corto, de un cobre atrevido, parecía europea, alemana tal vez. Las amigas se miraron pidiéndose calma una a la otra, sin definir todavía qué las esperanzaba. Permanecieron en la acera, como si tuvieran mucho para comentar, al acecho. La Bella rogó porque la ocasión cristalizara, porque fuera una verdadera posibilidad. La Cupletista le dijo que no se preocupara, que su olfato le garantizaba alguna maniobra, algún tipo de éxito.

Observaron.

La mujer, que casi no se había movido, salió finalmente del letargo, hizo a un lado la botella, y llamó por señas al cantinero. Cuando lo vio venir, rebuscó en un bolso de cuero y le tendió un billete. La Bella Repatriada creyó notar que tenía el dinero suelto en el bolso, y le agradó el detalle. "¡Cómo debe haber dinero ahí adentro!", se relamió. La mujer aguardó a que el empleado volviera con el vuelto, lo tomó en silencio y se llevó su seriedad a la calle.

Tendría unos 50 años, poco menos tal vez, y su andar despacio y sin meta aparente le infundía a su silueta una docilidad que hizo asentir a la Cupletista, mientras la Bella contenía la respiración, con la esperanza de poder arrancarle cualquier cosa de valor.

En realidad rogaban por que la alemana (era el nombre que enseguida le dieron) abandonara Obispo y se aventurara por calles de menos presunción, de más sombras. Si no lo hacía antes de la Plaza de Armas, la habrían perdido. Iban naturalmente alejadas, sin impaciencias visibles, como amigas con todo el tiempo enfrente, o como una pareja de enamoradas que se dejara rodar por la noche habanera.

Ahora, según les pareció, la calle comenzaba a poblarse. De gente con paraguas en espera de una lluvia que quizás no les diera la razón esa vez; de gente perfumada, en busca de lugares para diversiones baratas; de gente sin sueño y sin ningún proyecto, como la alemana, quien unas cuadras más adelante condescendió a dejar Obispo y comenzó a desvanecerse entre unos autos abandonados junto a la acera.

Temieron perderla. Apresuradas, se deslizaron tras ella; una tropezó con un bulto que produjo un sonido de metal abollado y quedó sobre la acera como un animal adormecido.

La alemana era ahora un contorno pesado, a punto de cruzar la calle.

Ellas llegaron antes y la empujaron a un zaguán del que manaba la oscuridad y el olor desesperanzado de las cloacas. "*Money*", le susurraron apagadamente, punzándola con unas tijeras, dejándole caer en el rostro una respiración fuerte, de cigarro. "*We want all your money*, alemana", y le arrancaron el bolso, y una le hizo correr las uñas por la cara sin gran énfasis, sólo para aterrorizarla y conseguir que desistiera de gritar.

La mujer, en efecto, se mantenía en silencio, encogida contra la pared, respirando apenas. Comenzó a ceder. Dejó que una de las asaltantes tomara el bolso, pero no lo liberó enseguida. Estiró el brazo prendido aún al asa, como si intentara sentir su contacto hasta el último instante.

—Vamos —dijo la Cupletista—, sé buena y verás que no te va a doler. *Be good* para que después allá, en Berlín, puedas contarlo.

La Bella celebró la broma con una carcajada oscura y habían dado quizás tres pasos cuando vieron a los policías.

Eran dos, de espaldas a la poca luz que chorreaba de una luna breve y amarilla; dos sombras sin ojos, apenas una boina y las cinturas abultadas, marcando el sitio del arma.

—¿Qué pasa? —preguntaron.

Nadie respondió.

—¿Qué pasa? —insistieron los gendarmes ahora más despacio, con irónica autoridad.

La Cupletista recordó el sueño de su amiga esa madrugada y, osada como era, decidió jugar. Afirmó:

—Nos asaltaron.

Los policías guardaron silencio. Parecían dudar. La alemana, encorvada, no dijo nada, sólo resollaba por lo bajo, como si estuviera cansada o herida.

—Vengan para acá —mandó un policía por fin.

La alemana no hacía por moverse, continuaba encorvada, reponiéndose. Las otras comenzaron a avanzar con recelo hacia los policías, mirando a la alemana, quien por fin dio unos pasos para reunirse con ellos.

—Entonces, fueron asaltadas —comentó un policía.

—Eran dos hombres —dijo la Cupletista despacio, con un brazo sobre los hombros de la alemana, como si disfrutara lo que estaba contando—, dos morenos flacos, rapados; uno con la voz potente, como de un peso completo; una voz que no cabía en él.

—Ah —dijo un policía—, vamos a ver —y extrajo su *walkie-talkie*.

Se puso a hablar en el tono torpemente neutral de las comunicaciones por radio, tratando de explicarle a alguien que unas ciudadanas habían sido atacadas, mientras las salteadoras se impacientaban encimadas sobre la alemana, para evitar que fuera a delatarlas.

—Deberán acompañarnos —explicaron los policías al poco rato.

La Cupletista titubeó. La Bella tragó en seco y comprendió que no se le ocurría nada para salir de aquel trance. La alemana seguía en silencio.

—Vamos —reiteró un policía.

—¿Nos asaltan y ustedes nos llevan presas? —reclamó la Cupletista.

—No van detenidas —explicó el agente—, lo que pasa es que nos dicen que ahí alante, creo que por Monserrate, han detenido a dos ciudadanos como los que ustedes describen.

IV

Pasado un tiempo de su encuentro con Anazabel, Rítzar palpó la certeza de que aquella relación marchaba hacia algunas incomprensiones y podía ponerlo en aprietos. Vivían en realidad un pacto jamás cerrado del todo y evolucionaban en zigzag; un día de maravilla, cargados de optimismo, y al siguiente, nublados, tirantes, como quien va a echarse a la guerra. Anazabel, por lo visto, necesitaba poner en claro su soberanía, pero no lo hacía de un modo directo. Sus tácticas eran la informalidad y un desapego a veces rústico.

Desde otro punto de vista, Anazabel también podía contarse entre esas mujeres que, al menos una vez al mes, desean morir.

No era insegura, sino inconforme, se decía Rítzar a medida que la conocía, pero su inconformidad no carecía de presunción. Anazabel se jactaba de ser inconforme y con ello lo hacía sentirse culpable. Una vez le trajo de regalo una manzana.

—En honor a la verdad, acaban de obsequiármela, pero yo te la ofrezco a ti —le dijo—, para que veas en este desprendimiento un augurio mayor.

Rítzar, que ya había dado una mordida a la manzana, titubeó levemente, sin explicarse bien por qué. Al poco rato, Anazabel le hizo una observación:

—Si hubieses sido tú quien me trajera una manzana, yo la hubiera comido de otra manera.

Rítzar dejó de comer para interrogarla, pero ella le dio a entender que no tenía importancia, que todo estaba bien. Después añadió:

—Ya comprendo. Has comido bajo el acecho de quien me regaló primero la manzana. Aunque él no lo sepa, debe estar rondando lo que ahora comes.

En un ámbito estrictamente profesional o, digamos, externo, Rítzar consideraba incómoda la circunstancia de que Anazabel, habiéndose graduado de Letras, no se atreviera a escribir ficciones. Era una idea caprichosa, podía reconocerlo, pero no conseguía despojarse de aquel prejuicio. "Es mi manera de ser extremista", le explicaba en juego, pero en verdad decía tener alguna experiencia con gente como ella y le molestaba el hecho de que posiblemente la mayoría, al juzgar a los escritores, se quedaba "en el fácil apeadero de los críticos de mirada corta".

A propósito, le parecía notar cierto esquematismo en la forma en que Anazabel se relacionaba con la literatura y, aunque se sabía en una posición soberbia, la comparaba con la manera casi idéntica de relacionarse con él. Lo que se dice entusiasmo, no manifestaba ni por lo uno ni por lo otro. De un modo general, tristemente común, la muchacha prefería el comedimiento o, incluso, el menoscabo, mas nunca la efusividad. O casi nunca, precisó Rítzar. Anazabel solía otorgar prioridad a algunas impresiones mecánicamente, de modo lateral, como esos profesores que buscan su estilo en la crítica de las mismas obras siempre, empeñados en construir con la glosa de un solo autor un obelisco comparable al que ya erigió el autor mismo. "Es una autoridad en Alejo Carpentier", se dice por acá; "autoridad en Lino Novás

Calvo", y van y vienen los doctores, atareados en dibujar un patrón que muchas veces se les corre a la senda del dogma.

No era que su amor por Anazabel no pasara por la literatura, pero esa trayectoria no los acercaba demasiado. A veces, por ejemplo, lo dejaba insatisfecho su pasión por *Hombres sin mujer*, la enrarecida novela de Montenegro. Verdad que ella podía pasar horas hablando sobre el libro. Verdad también, probablemente, que había sabido apartar muchas obviedades y proponía nuevos y arriesgados sentidos de lectura, pero él temía que estuviera exagerando sus connotaciones y, perseguido por circunstancias unas veces evidentes y otras veces antojadizas, llegaría a presumir que para Anazabel aquel libro se encontraba más acá de la literatura. "¿Y para qué son los libros, sino para magnificarlos?", le preguntó ella una vez y Rítzar pensó irónicamente que aquella frase debió habérsele ocurrido no a ella, sino a él mismo, pero no quiso transigir.

Sonriendo, como quien muestra la posibilidad de que todo sea un juego, la muchacha le había explicado que la atmósfera de *Hombres sin mujer* era similar a la de su propia persona, en sus momentos más rugosos.

—Cuando me concentro en los colores de esa novela —comentaba—, veo que me son afines y puedo olvidarme de los sucesivos pasos de su argumento, aunque éste sea tan vehemente como para, a los ojos de otros, coparlo todo.

Rítzar sonreía a su vez, porque recordaba una frase de Marcelo Pogolotti sobre el libro de Montenegro: "Tan repleto de horror que deviene monótono". Lo malo, se decía, era que el día que se permitiera ser grandilocuente por un segundo, podría llegar a decir lo mismo sobre

Anazabel. Pero, la verdad, no comprendía —o prefería no comprender— cómo alguien era capaz de concentrarse ante un libro y decantar sus historias con el fin de glosarse estados de ánimo. Ese comprometimiento es de un egoísmo ideal, pues presupone que cualquier libro viene a la medida del lector, de cada lector, individualmente y en el instante matemático de su lectura. *Magnificat* los lectores así, los que entran en un texto como en un espejo.

—Si alguien puede hacerme odiar un libro, has de ser tú —decía Rítzar.

Pero Anazabel sabía defenderse: tampoco llegaba a comprender cómo él podía ser un escritor en la sombra, un escritor que no se atreve a dar la cara, un escritor sin la ética del escritor. En esos casos, él ponía empeño en llevar la charla por otro camino. A duras penas lo conseguía.

En la Feria del Libro, una hermosa utopía nacional, se había presentado una obra que causó interés. Con su título piadoso y una bella cubierta, la novela se agotó rápido y el autor se veía satisfecho; tranquilo, pero orgulloso, manoseando en la televisión un optimismo que, con sólo un poco de esfuerzo, podía llegar hasta la vanidad. Esa noche, mientras escuchaban hablar al novelista, Rítzar observó a Anazabel y ella descifró la malevolencia de su mirada.

—Lo conoces, ¿verdad? —le preguntó.

Él se quedó en silencio, pero al menos había suspendido el brillo burlón de sus ojos. Anazabel se soltó el pelo.

—Dime, Rítzar —demandó—, ¿seguro que no tienes algo que ver con esa novela?

Rítzar se haría del rogar. Comentó que deseaba beber, fue por un poco de agua y, cuando regresó, ya en la televisión habían pasado a otro asunto. Pensó que ella se olvidaría de insistir, pero se equivocaba: Anazabel sabía ser persistente y lo conminaba con cariñosos floreos de la voz, con guiños, con breves roces de los pies.

Tras algunos minutos de resistencia, Rítzar convino en que había debido afinar algunos pasajes de *Llena eres de gracia* (Letras Cubanas, 2003); para no ser hipócrita, diría que debió bosquejar para el autor un mapa lógico del argumento, que rehizo después un capítulo e incluyó otro que la novela pedía con desesperación. Lo insólito era que el autor se dejaba guiar con una docilidad insuperable. A Rítzar tanta mansedumbre le parecía vergonzosa, pero al final no le disgustó la novela.

—No nos quedó tan mal —bromeó, pavoneándose.

Pero a Anazabel no le gustó *Llena eres de gracia* . Tardó en leerla y al concluir volvió a mencionar a Carlos Montenegro. Había que estudiarlo para saber cómo relegar el aburrimiento que cala las entrelíneas de una página, decretó. Para conseguir que la sangre de los personajes que son apuñalados en una novela nos salpique la ropa. Para sacar rocío de las frases secas. Daba a Rítzar por el verdadero autor de la novela, y como tal lo emplazó. Con sensual desdén comentó que debía seguir buscándose a sí mismo, que quizás llegara a ser un gran escritor, pero igual podía malograrse, abortar su genio: aún se parecía demasiado a lo que un narrador de verdad nunca se parece.

La frase era ingeniosa. Rítzar tuvo que sonreír, y ella interpretó en su mirada un desconsuelo tenue, pero cierto. "*Touché*", le dijo exagerando, para que todo, retroactivamente, pareciera una broma, y se le echó en los brazos.

—Lo que pasa es que yo como narrador soy mejor que tú como lectora —aseveró él todavía ofendido, asumiendo ese orgullo que todos los escritores, conocidos o no, mantenemos al alcance de la mano.

Anazabel rió con sarcasmo, olisqueándole la barba de tres días, relamiéndose.

—Desvísteme —pidió.

Él se mantuvo serio. Parecía no haberla escuchado, pero después dijo:

—Vuelve a pedirlo.

—Por favor —maulló ella.

Él se le acercó.

—Ruégamelo —insistió cínicamente.

Anazabel gimió. Rítzar comenzó a zafarle el vestido. Manipulaba los botones con un automatismo a propósito, despacio y serio, como quien no hace más que un trabajo. Ella se ofendió y se echó hacia atrás. Dijo algo. Él la observaba calladamente, con virtual parsimonia. Ella tiró del vestido y maldijo; lo retó. Entonces él la atrajo y comenzó a besarla. Murmuraba cosas que ella no se esforzó por entender, bajaba hasta el cuello y retornaba a los labios, ahora con interés, casi con pasión, hasta que se lanzó hacia los senos, sólo un poco más oscuros en las cimas que el resto de la piel castaño. Anazabel había cerrado los ojos y lo apretaba contra sí con expresión llorosa. Él se apartó para mirarla y lamentó que toda su relación con ella no se limitara a aquellos momentos, que hubiera otros ratos para las explicaciones, para el forcejeo. Su gran suerte era que existieran realidades como la que ahora vivía, admitió, y se dijo que le gustaban aquellos pechos cuya virtud no era estar erguidos, sino su volumen frugal, levemente ladeado.

—Tus tetas no apuntan a la frente, sino al corazón —susurró y comprobó que le había gustado su rústico elogio.

Pero cuando terminó de arrancarle el blúmer y se dispuso a llamar con la lengua a la entrada del arroyuelo, ella se colocó de espaldas. Le ofrecía la grupa en un gesto espinoso, pero persistía en él como en una necesidad. Lo oscuro del ofrecimiento estaba en la manera de pedirle que se lo hiciera así, con breves ruegos en un tono lloroso, mientras se ayudaba con las manos, mostrando el camino.

—¿Nunca se la has metido a un varón? —susurró Anazabel—. Métela ahí como si se lo hicieras a un macho.

Rítzar no se dejó asediar por la sorpresa. Enseguida quiso vislumbrar en el hecho una muestra de confianza mayor, un halago que no esperaba, y lamió el punto aceitunado como lo haría un devoto. Después lo besó igual que hubiera hecho con los labios de Anazabel, hincó la lengua en la abertura y la sintió expandirse, hasta que se dio cuenta de que un dedo de la muchacha había venido a ayudarlo en la caricia. Anazabel se arqueaba para acomodar su dedo aceitado previamente en la boca de Rítzar, y lo hacía entrar y salir con movimientos firmes, dictándole los pasos de la posesión real. Entonces tiró de él para que se lanzara a fondo y lo recibió con un brío hecho de argucias y, en ese instante, también de sinceridad. Rítzar la escuchaba gimotear y se lamentaba de no tener más que sus cinco sentidos para aquilatar, para comprender de una vez y por todas el alcance de aquella conjunción con Anazabel.

V

El edificio de ladrillos a vista que hacía de estación estaba marcado por un bombillo de un blanco belicoso que obligaba a quienes buscaban la entrada a cubrirse los ojos, como quien remeda un gesto de vergüenza. La calle enfrente se veía desierta: apenas un auto de patrulla anclado en la esquina y un viejo en bicicleta que de pronto atravesó el cono de luz del bombillo —un bombillo enorme, con una pantalla a su medida que lanzaba la luz unos cuantos metros hacia delante— y proyectó una sombra distorsionada sobre la pared. Alguien cantaba a los lejos.

Por la callecilla de la entrada fueron tras los dos policías la Bella, la Cupletista y la alemana, calladas las tres, metida cada una en su propio pensamiento. Se detuvieron ante la carpeta. Un oficial gruñó un saludo que a aquella hora comenzaba a sonar falso. Comprendieron que no las saludaba a ellas, sino sólo a sus colegas. Las mandaron a tomar asiento. Los policías parecían conferenciar con una calma que no presagiaba una salida fácil. Después, el de la carpeta tomó un teléfono y marcó algunos números.

Esperó.

Maldijo.

Dejó caer el teléfono y llamó a las tres mujeres.

—Colóquense del lado de acá —murmuró rascándose la cabeza, sin dejar de observar a las salteadoras, como si dudara de su identidad.

Por fin las envió, tras otro oficial llegado del fondo, por un pasillo frío, demasiado largo, según le pareció a la Cupletista, quien comenzaba a sentirse incómoda.

—Ahora van a identificar a los agresores —explicó el policía y les cedió el paso a una habitación pequeña: apenas unos metros de anonimato para observar tras un cristal en la pared a un grupo de hombres que, respondiendo a alguna orden inaudible, adoptaron una expresión suspendida, lastimosamente estática; una pose casi marcial.

—Ya saben —dijo el policía—, tienen que reconocer a los ciudadanos que las querían asaltar.

Se hizo el silencio. La Cupletista y la Bella se miraron de soslayo y quedaron después embelesadas, sin saber cómo salir del trance. Del otro lado, los hombres parecían paralizados, como en una escena que alguien ordenó congelar, hombres de cera a una hora extraña, en espera de que se les atribuya o no la culpa.

—Son aquél —dijo entonces la alemana—... y aquel otro.

Señalaba a dos hombres como los descritos por la Cupletista cuando, a unas cuadras de Obispo, las sorprendieron los policías dispuestas a desarbolarla. Las verdaderas salteadoras, mudas y confidenciales, se observaron y observaron a los presuntos asaltantes, sin encontrarle lógica a lo que hacía la mujer. Pero ella, luego de mirarlas a su vez, reiteró la acusación con tanta naturalidad que no tuvieron tiempo para seguir dudando.

—Usted me va a perdonar —dijo la alemana—, pero si mis amigas están nerviosas, yo no, y sé muy bien que fueron ésos.

La Bella miró a la Cupletista, miró a la alemana y después al policía, pero no se atrevió a mirar al otro lado, allí donde se agrupaban los hombres. Fingió, eso sí, que miraba, aunque había entrecerrado los ojos. Tal vez hubiesen llegado demasiado lejos en el jueguito con aquella mujer, se dijo con temor, y sin embargo, para salir del paso, confirmó:

— Sí, son esos mismos.

—Ésos —remató la Cupletista.

—Está bien —dijo el policía—, se acabó el *show*.

En la calle, la alemana no les permitió preguntarle. Deshecha de la expresión sumisa que hasta entonces le habían visto, atacó primero y las hizo mostrar un poco de temor ante sus cartas recién descubiertas. Les dijo que era tan alemana como aquellos dos negros a quienes acababan de complicarles, la existencia y de los que, por lógica, tendrían que esconderse en el porvenir. "Alemana de la cuenca de Marianao", se burló, y su rostro cansado condescendió a una risita que desafiaba a las otras. Agregó que alguien más estaba al tanto de ellas y eso las obligaba a cierta obediencia.

—En sí —anunció pavoneándose—, ahora es que van a conocerme; ahora es que empiezan a jugar conmigo.

Las otras callaban. Se habían detenido a poca distancia de la estación y por primera vez la Bella y la Cupletista dejaban ver toda la sorpresa que les provocaba el comportamiento de la alemana, aunque tal vez no calcularan todo el sentido del dilema al que ellas mismas se habían empujado. En cierto modo, la mujer tenía razón y no parecía aconsejable retarla abiertamente. "Escaparse ni en juego", les había advertido. "Huir ni se les ocurra." Por eso siguieron a su lado un rato más, alejándose de la estación y del fulgor lechoso del bombillo en su entrada.

Por eso —qué remedio— accedieron después a acompañarla a Marianao, a fingir un leve sometimiento, mientras daban con la forma de romper con ella, de comprobar si era cierto que las tenía en su poder, de perdérseles de vista o de sacarla del medio. Por lo pronto, cordura, se decían; toda la previsión que no tuvieron al asaltarla, pues entonces parecía tan sola, tan medio borracha, tan indefensa...

Sabían que era tarde e imaginaron que llegar hasta un lugar tan lejano —Marianao— habría de costarles varias horas de vida. Pero la alemana afirmó que conocía bien la noche y se fue delante, por calles como purgatorios, con paso retador, mostrando que nadie estaba en condiciones de defraudarla con una fuga. Cuando la vieron detenerse en una esquina, evocaron pesarosamente el momento en que, recién salida del bar, se prepararon para asaltarla.

—Si entonces no hubieran aparecido esos policías... —añoró la Cupletista con lástima retroactiva.

—Si no nos hubiéramos encontrado con la vieja ésta... —prefirió la Bella.

La alemana pactaba con un hombre de ojos vacunos que enseguida tiró de las tres hasta un carro absorto junto a un poste. Solía aparecerse con sorpresas así, volvía fácil lo difícil, plausible lo absurdo.

Subieron. El carro partió en busca de Prado para salir a Malecón. La alemana, junto al chofer, guardaba un silencio jactancioso, mientras detrás, las salteadoras tragaron en seco. En un momento del viaje se dieron cuenta de que ya al montar, el radio del carro se ocupaba en difundir música a su modo también noctámbula, un rock que acentuaba su pretendida calidad buscando apoyo en un violín. Después siguió otra pieza, sin pausas para comentario alguno, y finalmente una voz comenzó a explicar que se trataba de una selección de rock argentino. La voz siguió ponderando lo que llamaba la escuela argentina, hasta que la alemana protestó.

—Calla a ese tipo —le dijo al chofer—. La música argentina, si no es tango, es una mierda.

Alargó la mano el chofer y apagó el radiecillo, pero casi enseguida, moviendo la cabeza de una forma que revelaba su incomodidad, se puso a silbar. Silbaba todavía cuando el carro comenzó a carraspear, pero él, previsoramente, dijo que no había problemas, que ése era el estilo de su carro.

—Cuando empieza a sonar así es cuando se está poniendo bueno —explicó—; ahora es cuando el motor está en su punto.

La alemana esperó un poco para contradecirlo, pero no había dudas de que se burlaba de él.

—En su punto... —dijo y daba a la frase una musicalidad como para subrayar las dudas.

—Hay quien confía en sus muertos; yo confío en mi máquina —sentenció el chofer.

—Ten cuidado —dijo la alemana a la altura de la calle San Lázaro—, que esa neblina lo emborrona todo.

El chofer la miró y volvió a mover la cabeza a uno y otro lado, pero había algo en aquel movimiento, la cadencia tal vez, que indicaba que ahora no se sentía incómodo. Su gesto era de condescendencia. Cuando se detuvo en el semáforo frente a la Calle 23, sus grandes ojos reían.

—Es la segunda vez en mi vida que veo una neblina como ésta en el Malecón —insistió la alemana y el chofer volvió a sonreír.

—Tranquila —dijo—. Tranquilo todo el mundo.

—Y el cacharro éste que ni alumbra —remató la alemana.

—Este Chevrolet no entiende de neblina ni de nada —porfió el chofer y tomó por 23 en una trabajosa carrera.

A la entrada de Marianao, después del puente del río Almendares, el carro hizo de nuevo por ahogarse. Esta vez caviló por más tiempo, pero el chofer, maniobrando con los pedales y con la velocidad, logró mantenerlo en marcha. De reojo miró a la alemana y volvió a silbar. Golpeó el timón con la palma de la mano y aceleró por la avenida solitaria.

La Bella y la Cupletista suponían que el chofer se detendría para dejarlas bajar frente a una casa cualquiera y se iría después con su carro a otra parte, pero se equivocaron. Fue la alemana quien lo invitó a pasar y dejó que husmeara un poco en las cosas de la sala: una repisa con libros como cotos vírgenes, un cuadro de vinilo en el cual dormitaba una bañista desnuda y una lámpara de pie que encendió y apagó varias veces.

—Cada vez que vienes haces lo mismo, Halid —dijo la anfitriona, y la Bella y la Cupletista se dieron cuenta de que, en cuanto bajaron del carro, lo había comenzado a tratar distinto. Era como si aquel auto añoso le restara prestigio al chofer a los ojos de la señora.

—Pueden sentarse —dijo la alemana y se sacudió un zapato de tacón; después, el otro.

Descalza parecía más joven. En realidad poseía una belleza seca, agrietada como un lienzo antiguo, pero auténtico. Era delgada a pesar de los años, y andando por su propia casa se hacía más visible aquel gesto suyo de elevar la frente por pura altivez. Recogió los zapatos, terminó por hacerle un guiño al chofer y se perdió en un cuarto al que no entraba nadie más, salvo yo como narrador, el propio Halid y algunos otros hombres que no estarán en este relato. Allí dormía con un marido fijo tiempo atrás, cuando todo se le ofrecía más fácil y no era ella misma la encargada de salir —como repetía con sorna— a descascarar la vida. Creía ser feliz, pues la felicidad en su mundo no parecía algo complejo. "Si tienes dinero y salud, eres feliz", aseveraba, "la salud y la plata bloquean los malos pensamientos". Después el marido fue a la cárcel. "Fue por tanto tiempo que esperarnos se hizo inútil", contaba la alemana sin afectación. "Él mismo me pidió que nos diéramos la libertad, y se lo agradezco. Dijo que prefería eso a que lo pusiera en el ridículo de los tarros. Le contesté que estaba bien, que si al salir se acordaba todavía de mí, podía venir a verme. Después se me olvidó la fecha de su salida y a él se le olvidó pasar por aquí". Al poco tiempo pareció aclimatarse a los hombres que se anuncian por horas, que nunca hacen vida donde hacen el amor. "Bien sé jugar esos juegos", decía, "les abro los brazos y otras cosas, y ellos sueltan sus agobios y sus impuestos".

Al reaparecer en la sala venía en chancletas y con un vestido que le dejaba al descubierto las rodillas. Se había rasurado hasta la mitad de los muslos y daba la impresión de estar orgullosa de su tersura. Mostraba una lata de cerveza que le tendió a su amigo. El chofer la miró halagado por el gesto y se dio un buche indiferente.

—Me voy —dijo, devolviéndole la cerveza.

La alemana fingió no creer que no acabaría la cerveza. Él rió y se tragó otro sorbo.

—Me voy —reiteró.

—No te pierdas —dijo la alemana y se empinó la lata.

—No —dijo Halid y le acarició la cara.

Entonces la alemana tiró de su camisa.

—Pero no me has dicho qué te parecen éstas —reclamó.

El chofer mandó sus grandes ojos en busca de la Bella y de la Cupletista, arrinconadas en silencio. Hizo ver que sonreía, pero después siguió hacia la puerta.

—Parecen buenas —dijo—, una buena adquisición.

—Como las voy a poner a trabajar contigo, tendrás que controlarlas tú mismo —explicó ella. Después, pavoneando su mal inglés, concluyó—. *Keep an eye on`em.*

El chofer asintió como si entendiera lo que acababa de oír, y la alemana, divertida, se le encimó y lo hizo inclinarse para besarla. Consideró oportuno meterle la lengua en la boca, una y otra vez, frente a las otras, que preferían mostrarse indiferentes, pero sólo para no confesar algunos temores. Hombro con hombro, observaron al chofer, quien sólo para no contrariar a la alemana —era lo que se les ocurría al verlo en una pose a todas luces ridícula— soportaba sus juegos con la lengua. Después lo vieron salir a la noche y esperaron por la alemana, quien se tardó aún murmurando junto a la puerta. Antes de verla voltearse, descifraron el golpe de la lata de cerveza contra el cemento, afuera.

Convencida de tenerlas en su poder, la alemana se puso a darles instrucciones. "Serán mis mulas por un tiempo", recordarían después que dijo, para añadir que sólo deberían ocuparse en ciertas cosas y ella no se olvidaría de pagarles.

—Para que vean cómo es la vida: ustedes me maltratan y yo les pago —ironizó.

La Bella y la Cupletista se miraron, después miraron a la alemana que parecía relajada, y sonrieron.

—Trabajarán como castigo —insistía la alemana—, pero no sin cobrar. Serán mis sirvientas, pero no mis esclavas.

—Está bien —admitió la Bella, pero la Cupletista resopló; quería precisiones.

—"Está bien", no —contradijo—, que si el riesgo es demasiado no hay trato.

La alemana se incorporó y vino hacia ellas. Con las manos en la cintura, golpeó el piso con el pie rítmica, burlonamente, mientras dibujaba una mueca de desprecio. Entonces les anunció que se acababa la retórica. Les recordó que no eran sus invitadas. Tampoco sus socias. Insistió en que no andaba sola, en que ya otros sabían sobre sus carreras, en que ahora sólo estarían seguras mientras trabajaran para ella.

—Hace apenas tres horas, yo estaba muy tranquila en aquel bar —sonrió—. Con mi Havana Club y mis planes. Pero ustedes se antojaron de cruzarse en mi camino. Pusieron mi vida en peligro, como aquel que dice, y yo, para que vean lo irónica que es esta existencia mierdera, lo que hago es darles empleo. Así que ahora se me calman y se me portan como adultos.

"Está bien", repitió entonces la Bella, empeñada en condescender, pero la Cupletista se encontraba ya de pie, mirándola con cinismo, dispuesta a enfrentarla.

La alemana mantenía las manos en la cintura y la cabeza erguida, como el ama que de alguna forma comenzaba a ser. Deseaba saber si las otras entendían bien en lo que ellas mismas se habían enrolado. Lo que podría sucederles si se hacían las valientes. La Cupletista, ofendida, prefirió ser más precisa y soltó un insulto.

—Tú eres una loca, Cupletista —se rió la alemana—, una loca y una estúpida que no sabe dónde se vino a meter. Y tú, Bella, controla a tu amiguita para bien de las dos.

La Cupletista entonces se aproximó y la golpeó en la cara. La Bella Repatriada soltó un grito escuálido y trató de interponerse entre ella y la alemana, que se defendía con alaridos y manotazos al aire, hasta que se desplomó resollando en el sofá. La Cupletista le puso una rodilla en el pecho, para inmovilizarla.

—Me cago en ti, alemana —declaró—, me cago en tus negocios y en la hora en que nos tropezamos contigo.

La alemana logró voltearse, de modo que la Cupletista se tambaleó y se fue al piso, arrastrándola. La alemana trató de equilibrarse para golpear a su vez, pero la otra fue más ágil y se incorporó primero. La alemana quedó otra vez debajo y la Cupletista de un tirón le rasgó el vestido. Dos senos pequeños, cansinos, quedaron al aire y, entre ambos, un lunar alargado, como una degradación de la piel.

La Cupletista se detuvo. Observó a la alemana que trataba de quitársela de encima y le dijo, sonriendo:

—¿Y esa mancha, alemana?

La alemana se debatió con fuerza, pero no consiguió zafarse.

—Ya sé —dijo la Cupletista—, eso es leche de uno de los negros a los que embarcaste hoy.

Aún reía cuando se despojó de la ropa y mostró un lagarto que poco armonizaba con su cuerpo de travesti lánguido, de escuálido *she-male*. Trazó con él algunos mandobles frente a la cara de su contrincante y quiso humillarla otro tanto pegándoselo a los labios. El lagarto se negaba a erguirse del todo y la Cupletista lo doblaba en el intento de punzar con él la boca de su víctima. Resoplaba la alemana y la Cupletista reía, extrañamente alborozada por la debilidad del lagarto. Pugnó todavía un rato por hacerlo pasar, pero apenas consiguió que la alemana entreabriera los labios y allí quedó encallada el arma, indiferente a la disputa. Cuando por fin, convencida por su amiga, se incorporó y comenzó a componerse la ropa, dijo la alemana:

—Lo que yo sé es que tienen que trabajar conmigo, y van a hacerlo, o me quito el nombre.

VI

Rítzar aceptó la taza y se quedó observando el humillo que bailoteaba sobre el café. La Bella Repatriada y la Cupletista, enfrente, comenzaban a beber el suyo y, como lo vieran ensimismado, dijo una:

—Toma, que frío es un veneno.

Él sonrió, elevó la taza, pero, antes de beber, dijo:

—Lo que necesito no es café, sino comida. Hace dos días que no pruebo comida de verdad.

—Se te ve —dijo la Bella—, tienes cara de pordiosero, con esa barba y ese pelo sucio.

—Báñalo —intervino la otra—, ya que no lo baña su infanta. ¿Quieres que te bañemos, Rítzar?

Rítzar sonreía. Bebió finalmente y se quedó mirando a ninguna parte, con la taza suspendida frente a los labios. Sorbió de nuevo y se concentró en sus anfitrionas. Explicó:

—La otra noche los vi por allá por Obispo.

Sus amigos callaban. "Ah, sí", dijeron luego, "a veces andamos por esa zona". Rítzar dejó la taza vacía sobre el brazo del sofá. Se acomodó y volvió a comentar:

—Parecían reinas.

—¿Tú crees? —se ilusionó la Cupletista.

—Cualquiera se confunde —insistió él.

—Si tú supieras —dijo la Bella—; muchos se han confundido.

—Sería como para matarlos —se rió Rítzar.

—Si tú supieras —repitió la Bella— que nunca ha sido para tanto. Sólo un tipo una vez se puso como una fiera. Tenías que haber visto su asombro, la manera en que abría los ojos y la boca. Pensé que me iba a moler a golpes, aunque terminó por irse. Sin embargo, he llegado a creer que quien va con uno, desde el primer momento sabe a lo que va. Si se desilusiona es por otra cosa, no porque confirme que uno tiene lo que tiene o que le falta lo que le falta.

Rítzar sonreía. Volvió a cambiar de posición y golpeó con el codo la taza sobre el brazo del sofá. La echó al piso y vio cómo se deshacía contra los mosaicos. "No es nada", dijo la Bella. "Sí es", dijo la otra, "es mala suerte, y una taza menos".

—Sigue contando —dijo Rítzar con indiferencia.

—¿Tanto te interesa la vida de las mujeres falsas? —preguntó la Bella.

—Me interesa todo —sentenció él.

—Ya está el escritor —sonrió la Bella.

—No soy un escritor —aclaró Rítzar—; no un escritor en regla.

—Una vez tuve un enamorado —evocó la Bella—, cuando éste y yo aún no vivíamos juntos.

—Ahora te va a sobornar con el cuento del magrebí —terció la Cupletista—; ten cuidado, no te haga llorar.

—A ver —sonrió Rítzar.

—Llorar, ¿para qué? —comentó la Bella Repatriada—, si lo que siento es orgullo. Orgullo melancólico.

Y le contó sobre el muchacho que conociera en uno de los sitios de cacería más vulgares de La Habana: el Parque de la Fraternidad. La Bella —que aún no era la Bella Repatriada, sino un pájaro esbelto y menos sórdido que ahora, precisó con gestos de ópera y como si declamara— se había apostado en una esquina y fingía aguardar algún carro, y tenía los brazos cruzados sobre el pecho, con discreta perversidad. Estaba molesta, porque, desde que caminaba frente a la Fuente de la India, comenzó a notar cómo los bancos del parque estaban ocupados por homosexuales viejos, con "dignidad menopáusica", dijo, orondos y ridículos, casi todos inservibles ya. Se lamentaba de que hubiera días así, de escasa juventud en aquel parque, de cazadores que ya no esperan mucho de sus presas sexuales, de cazadores que ya, llegado el momento, no saben cómo volverse presas, que ya no se aventuran en arreglos de los que ponen la carne de gallina. Pero entonces lo vio acercarse y comenzó a dar pasitos de ida y vuelta, nerviosa y presumida, impaciente. A pesar de que la tarde empezaba a declinar, pudo predecir sus ojos morunos, aseguraba.

—El sol en retirada se había enredado en los árboles de la otra esquina —dijo graciosamente lírica—, y el sol y el trigueño aquel, que venía como quien no sabe dónde ha caído, me hicieron emocionarme.

El muchacho se detuvo a unos pasos. Posiblemente esperaba también un carro de alquiler. La Bella lo goloseó y decidió acercarse. Fue él quien primero habló, preguntaba si era muy difícil atrapar un carro allí, si ella iba muy lejos.

—No tanto —respondió la Bella.

—No tanto, qué —insistió el muchacho.

—Ni lo uno ni lo otro —sonrió la Bella—: ni es tan difícil que una máquina se detenga ni yo pretendo ir hasta Pinar del Río.

Aquel Aladino — “tan joven, recién escapado de la niñez”, sonrió la Bella Repatriada— bajó a la calle y se puso a hacer señas.

—No podía pasar mucho tiempo antes de que se detuviera un auto —aseveraba la Bella—, porque un doncel así llama la atención hasta de los machos, aunque sea para compararse con él; así que en unos segundos llegó un Cadillac grandísimo y nos frenó al lado.

Subieron.

—No sabía a dónde nos dirigíamos, pero me daba igual— suspiró la Bella—, el caso era no pederlo. Íbamos en el asiento de atrás, el magrebí, yo y un viejito negro, de saco y corbata y con un maletín tan anciano como él. Cabíamos bien allí, creo que hasta sobraba asiento, pero yo me pegaba al muchacho, con la espalda erguida y una mano apenas posada en su muslo, para darle al chofer, que espiaba constantemente hacia atrás por el espejito de adentro, la impresión de que teníamos un compromiso de verdad. El viejito nos miraba de reojo y apretaba el maletín contra la pechera del saco, y el doncel, que iba del lado de la ventanilla, miraba todo el tiempo hacia fuera, como si fuese la primera vez que paseaba en carro por Neptuno.

Bajaron en el Vedado. “Menos mal que el paje pagó enseguida, porque yo ni dinero llevaba”, añadió la Bella. Como si hubieran acordado no seguir fingiendo, caminaron un rato en silencio, uno al lado del otro, mientras anochecía.

En un parque se besaron. El muchacho era fogoso, explicó la Bella, y la acariciaba con fuerza sin dejar de besarla. Le abrió la blusa y la besó en el cuello.

—Soy lampiña, pero, como ves, no tengo nada —rió.

Sin embargo, al muchacho no pareció importarle.

—Se apretaba contra mí y me besaba en la boca, en los hombros, en las tetillas erectas. Terminó de abrirme la camisa y me masajeó la espalda con insólita ternura. Se me erizaron más los pezones y le suspiré en la oreja, le dije que me estaba haciendo derretir, mientras él me entreabría las piernas y se restregaba con fuerza, como si yo fuera una mujer de las auténticas.

La Bella no estaba dispuesta a dejar escapar al muchacho. La soledad del parque la había vuelto temeraria y locuaz. Su fantasía versó sobre atributos que le hubiese gustado poseer. "Muérdeme las tetas", le dijo. "Tómame por las caderas. Me mata imaginar que pones la lengua en mi clítoris".

Los sorprendió un policía. Les arrojó encima la luz de una linterna enorme, contó la Bella, y les dijo que no iba a esforzarse por creer lo que estaba viendo, que huyeran de allí; que huyeran, no; que volaran, que no quería volver a verlos esa noche, y que si cualquier otro día los encontraba juntos, buscaría la manera de acusarlos de algo. "Andando", los conminó y el haz de luz de la linterna los enmarcó por unos segundos parque afuera.

Unas cuadras después, el muchacho se despidió. Dijo que se encontrarían al día siguiente en el Parque de la Fraternidad, a la caída de la tarde, que su nombre era Sorel, pero quería que el de su nuevo amigo continuara siendo un secreto. "Me lo dices la próxima vez", propuso, soltándole despacio la mano, pero la Bella no volvió a verlo.

—Me quedé mirándolo mientras se alejaba, dispuesto a pensar que lo había soñado todo, saboreando todavía un poco más los besos de mi joven árabe —declamó—. A las pocas noches soñé que se había ido del país.

—¿Qué te parece la historia? —dijo la Cupletista.

Rítzar se había quedado serio. Como viera cierta solemnidad en la cara de su amigo, prefería no burlarse.

—Es como para escribirla —insistía el otro.

—Escribir... —dijo Rítzar pensativo.

—Tú algún día tendrás que escribir nuestra historia —confirmó la Cupletista—, la leyenda de tus amigos.

—Yo la escribo y ustedes la firman —rió Rítzar.

—Como quieras —dijo la Cupletista—, pero te advierto que alguien se va a encargar de nuestra historia. Además, con esa manía tuya de escribir para otros, ¿quién nos garantiza que no seas tú quien la escriba, así la firmen Hemingway o Leonardo Padura?

Rítzar se quedó mirando a su amigo. Sonrió y dijo:

—¿Ustedes no saben que lo más importante de un libro no es el autor? ¿No saben que el autor es una ilusión; que libro que tiene que ser escrito, libro que se escribe, incluso, en contra del autor?

La Cupletista quería ser más lógica. Dijo que sin autor no había libro, que así como no hay mundo sin Dios, no habría libros sin gente que se dedicara a escribir.

Rítzar la observaba con asombro discreto. En realidad no se extrañaba por las palabras de la Cupletista, sino por la forma adyacente en que sus especulaciones lo llevaban a razonar una vez más sobre su propia situación frente a los libros.

—Así que mira a ver —peroraba su amigo—, pues después no quiero pasarme la vida dudando que el autor de mi historia no sea quien dice el libro que es.

Rítzar se puso de pie.

—¿Te vas? —preguntó la Cupletista.

—Como no me dan más que café y conversación, me voy —convino él.

Camino a la puerta se detuvo y la besó en la frente.

—Cretino —le dijo—, lo importante es la historia misma, no quien tenga la desdicha de contarla.

—Pues yo no creo en los libros —intervino la Bella Repatriada, todavía melancólica—. Decía mi madre que los libros sólo sirven para embobecerlo a uno.

—Para hacer famoso al que quieran —contradijo la otra.

—Si uno lo analiza bien —insistió la Bella—, en los libros sólo hay mentiras. Son los cofres de los sueños imposibles y de las penas de la gente.

Pero la Cupletista seguía porfiando. Aseguró:

—Pues yo tengo que conocer a quien escriba mi historia. A mí me enferma no saber esas cosas.

VII

Anazabel demoraba en mostrarse. Por lo pronto, podían verse únicamente en el apartamento de Rítzar, pues ella había decidido mantener su casa del Cotorro en una suave reserva. "Allá no hay sitio para la intimidad", insistía, "y, por si fuera poco, los parientes de mi ex, a quienes tengo de vecinos, me lo echarían en cara". Llevaba algunos días sin venir y Rítzar se dejaba atolondrar por su ausencia, aunque, una vez juntos, probablemente las horas se les fueran en ponerse de acuerdo.

Así marchaban las cosas. Si le hubieran explicado, meses atrás, que iba a tropezar con una mujer como aquélla, hubiera reído incrédulo, se dijo una tarde mientras deseaba su aparición. Había estado bosquejando unas páginas por encargo (por oficio, se rectificó a sí mismo), pero comprendía que no se encontraba *in the mood*, que era la forma en la cual su amiga la Bella Repatriada anunciaba sus malos estados de ánimo. Era una de las dificultades de ser un *ghostwriter*: los clientes no admitían esos altibajos de la escritura que un escritor verdadero reconoce como algo congénito. Quien paga prefiere que el asalariado vaya al grano, y no reconoce esos meandros en los que un texto se recoge para tomar aliento, se alista para saltar. Quien paga, por el contrario, desea que cada párrafo ondee a una altura imposible de sostener perennemente.

Rítzar abandonó el trabajo y se fue al balcón. Mirando a su derecha, en dirección al Parque de la Fraternidad, divisaba un fragmento de la calle que ahora le pareció novedoso. Todo gracias a que miraba horizontalmente, a la altura de su balcón, y ello le ofrecía una vista inédita de Monte. Se dio cuenta de que incluso nunca antes había reparado en los edificios desde aquella postura, prohibiéndose mirar hacia abajo. Dejó que la vista se le fuera por un callejón en el cual no había autos ni estaba la calle en sí; apenas un pavimento ilusorio hecho a base de cables del tendido eléctrico, y de los espinazos de anuncios lumínicos, desde mucho tiempo atrás fuera de uso. Un país de hollín, donde la gente quedaba pospuesta; un país brutalista, capaz de asustarlo.

Después miró hacia abajo, otra vez hacia la vía ordinaria por la que bajaban y subían autos, ciclistas, un camión cargado a medias de sacos de harina sobre los que dormitaban dos hombres a pleno sol. Siguió observando la calle con una curiosidad un tanto embotada por la desidia que minutos atrás lo obligara a retraerse, pero, como otras tantas veces, comprendió que el detalle nimio de los hombres manchados de harina que veraneaban sobre el camión había conseguido cambiarle los ánimos. Se trataba apenas de un impulso, pero era suficiente para que deseara, por ejemplo, abrir al azar un libro tomado también al azar de un pequeño anaquel y ver qué le deparaba.

Regresó a la sala y se detuvo frente al anaquel. Conocía, lógicamente, el orden de sus libros, pero en casos así jugaba con los márgenes de error. Es decir, sabía que en el piso superior había organizado la poesía, pero ni se hubiera permitido la petulancia de recordar el sitio exacto de cada autor ni sus libros eran todavía objetos inamovibles: Rítzar los frecuentaba en dependencia de sus necesidades o de sus deseos, y a duras penas conservaba el librero en armonía. Escogería el libro, además, con los ojos cerrados.

Esa vez el azar subvencionó su interés con un cuaderno de Georg Trakl, el austriaco, que lo miraba misteriosamente desde una fotografía en marco ovalado en la portadilla del libro. Aparecía de cuello y corbata, con el saco abotonado, y a pesar de encontrarse de frente, daba la impresión de ser cargado de hombros. Tenía el pelo corto, casi a lo militar y la nariz ancha y los labios finos, y una expresión de serenidad a todas luces apócrifa. De conjunto, la imagen acusaba un menoscabo, diríamos, intrínseco, pues no era eco del tiempo transcurrido desde que fuera impresa —allá por 1910—, sino de la mirada de Georg Trakl, surcada por trazas góticas. Rítzar —claro— trasladaba a la forma de observar la foto más de un prejuicio, lo que conocía —o creía conocer— sobre el poeta narcómano, pero admitía con serena facilidad que Trakl era uno de sus predilectos. Como todo lector maduro —pues no sentía impudicia en considerarse un buen lector— se decía que no hay poetas con destinos radiantes, que de todos los tipos de escritor, es el poeta quien más se sufre en sus libros, quien más se sostiene en ellos, aunque ese apoyo no sea garantía de nada. Tenía, además, aproximadamente, la misma edad de Trakl al morir.

Dejó el balcón abierto para capturar un poco de la brisa que regalaban aquellos fines de noviembre, y tomó asiento, dispuesto a releer algunos versos. Reparó por segunda vez en la foto del poeta y calculó que habría sido de hablar pausado y en voz baja, a pesar de lo conocido sobre su debilidad por los estimulantes. En ésas estaba cuando sintió el llamado en la puerta.

Era Anazabel, quien anunció, después de besarlo, que llegaba a tiempo para el té. Lo miraba alegre y a una vez deseosa, y Rítzar, dejando a un lado el libro, pensó en cómo derivan las cosas de un modo tan inexplicable. De la desidia de un rato antes había sido rescatado por una estampa llevada y traída en las calles de Cuba: unos braceros que aprovechan para dormir sobre la comida que transportan, pero fue precisamente ese *commonplace* el que le afinó el deseo de leer poesía. Finalmente, de la poesía se hizo Anazabel. Se lo representó sintéticamente:

hombres durmientes → Georg Trakl → Anazabel

Y en honor de aquella progresión inesperada volvió a coger el libro y la invitó a sentarse a su lado. Le advirtió que no tenía té, pero que le daría a cambio un buen poema, y ella replicó que entonces brindarían con cerveza. Anazabel extremó una reverencia al sacar las latas del bolso, pero explicó que no estaban frías, que debían tener paciencia.

—Eso te iba a proponer —dijo Rítzar—, paciencia para explicarnos a este poeta.

Y leyó:

Canción de Kaspar Hauser

Amaba el sol que purpúreo bajaba la colina,
los caminos del bosque, el oscuro pájaro cantor
y la alegría de lo verde.

Digno era su vivir a la sombra del árbol
y puro su rostro.

Dios habló como una suave llama a su corazón:
¡Hombre!

La ciudad halló su paso silencioso en el atardecer;
pronunció la oscura queja de su boca:
soñaba ser un jinete.

Pero le seguían animal y arbusto,
la casa y el jardín de níveos hombres
y su asesino lo asediaba.

Primavera y verano y el hermoso otoño del justo,
su paso silencioso
ante la alcoba apagada de los soñadores.
De noche permanecía solo con su estrella.

Miró caer la nieve sobre el desnudo ramaje
y la sombra del asesino en la penumbra del zaguán.
Entonces rodó la cabeza plateada del no nacido aún.

El poema estaba dedicado a una tal Bessie Loos, y Rítzar se preguntó en voz alta qué cara pondría la homenajeada al recibirlo de manos del poeta. Anazabel sentía la necesidad de ser reverenciosa y aseguró que un poema así valía por todo el opio que escaldó la vida de Georg Trakl, y que tal vez aquella de nombre Bessie Loos lo hubiera suscitado sin gran mérito.

—Pero ya sé —acotó— lo que opinas sobre todo eso de la creación poco menos que automática, como un mandato superior, quiero decir. De tal modo, si el poema estaba destinado a aparecer entre los hombres, no importa, según aseguras, a causa de qué milagro ocurrió ni si esa tal Bessie era una santa o era una tramposa. No importa ni siquiera el poeta.

—El milagro es el poema —se burló Rítzar.

—Por esta vez, lo admito —dijo Anazabel—. Quiero brindar por ese amargado.

Rítzar trajo las cervezas. Traía, además, dos vasos, en los cuales escanció despacio, cuidando de verter la misma cantidad en cada uno de ellos, como hubiera hecho el propio Georg Trakl. Bebieron al unísono y, sin habérselo propuesto, guardaron silencio por unos segundos. A Rítzar le gustaba el hecho de que a pesar de no conocer previamente al poeta, Anazabel no hiciera preguntas y, por el contrario, hubiese aceptado su singularidad con la sola audición de aquel poema. Se lo dijo. Ella le guiñó un ojo y continuó en silencio. Pero, después, de repente, elevó su vaso y jugó a mirarlo a través del cristal y del líquido parduzco, aunque no dio con su cara al otro lado. Rítzar comprendió: mediante aquel subterfugio, Anazabel ahuyentaba el espíritu de Georg Trakl; entonces, aprovechó para improvisar una sentencia que sabía irónica.

—Ése no es el espejo en el que mejor me veo —insinuó.

Anazabel bajó el vaso sin probar la cerveza. Recordó un viejo cuento; árabe según le parecía, de la India tal vez.

Una dama de la corte se empeñó en instalar un salón de citas. Para conservar su reputación, debía disfrazarlo de modo que pareciera un aposento para floreos literarios. La solución que le sugirieron sus asesores resultaba cara y sencilla. Colocarían un espejo en el salón, un espejo mágico, pequeño y costoso. Cada noche, antes de iniciar los protocolos del sexo, la dama apostaría a un hombre de su confianza afuera, para que pudiera avisarle de recaladas inoportunas. Si ante una adversidad uno de los caballeros que participaban del salón introducía su miembro en el espejo, el aposento se transformaría de inmediato en una inocua sala para tertulias.

Llegaría —claro— una noche en que el peligro se enseñoreara del burdel. Dio aviso el centinela de la arribada de un carruaje real y la dueña del salón recordó a sus clientes lo que deberían poner en práctica. Precisó que sólo se necesitaba de un caballero con su virilidad enconada para obrar el trastrueque, pero en vistas de que era posible la aparición del rey en persona, ninguno de los presentes tuvo el aplomo para conseguir la firmeza de su miembro. Entró, en efecto, el soberano y se dirigió a las damas con mucha consideración.

—Ustedes, señoras —les dijo—, han sido víctimas de una cobardía, pero no se preocupen, pues lo pondremos todo en su lugar.

Entonces hizo brillar un espejo idéntico al que ya existía en el salón, y fue a colocarlo él mismo junto al primero. Después, mientras despejaba el camino a su miembro, sonrió amenazadoramente y advirtió a los caballeros:

—Señores, les haré el favor que ustedes mismos no pudieron hacerse: los enviaré a la sala de tertulias, donde siempre han debido estar. Ocúpense de contar hazañas ajenas mientras, del lado de acá, yo trataré de excusarlos ante estas bellas mujeres.

Rítzar elevó su vaso y miró la cerveza; después miró a la muchacha con ambigüedad, sonrió y dijo:

—Por ti.

—¿No vas a decir nada de mi cuento? —quiso ella saber.

Él calló, hastiado de tanto símbolo, y bebió sin otra ceremonia que la de la bebida en su paladar, un buche denso que tragó espaciadamente, mirando a Anazabel y no mirándola, dejando que el sabor de la cerveza lo arrastrara hacia otros pensamientos fuera de allí, hacia una mujer inesperada, cuya presencia lo asediaba desde hacía poco y lo obligaba a una pueril metafísica.

VIII

"Hace poco que la conozco. ¿La conozco? Todo es casual. Suciamente casual. Aburridamente insospechado. El primer encuentro ocurre en un bar de la calle Monte, por donde paso a veces a saludar a un amigo. Como verás, no se trata de un encuentro en regla; es más bien una coincidencia, un formar parte de la misma escenografía. Es un sitio estrecho, con una barra que marca el largo del recinto y un pasillo en el que no caben dos hombres a lo ancho, con unos bombillos rojos que hacen evocar la noche a cualquier hora, siempre que te alejes de la entrada. Es poco después del mediodía y ya mi amigo el *barman* lidia con dos o tres bebedores de ron barato. '¿Qué hay, Rítzar?', dice al verme, alegrándose; "menos mal que a veces te acuerdas de que aquí te quieren". Lo miro y aproximo una banqueta, tomo asiento, estiro la mano rumbo a él y me veo sonreírle de manera opaca en el espejo que, tras la barra, remata vaporosamente el recinto.

"—¿Qué hay, hermano? —reitera el *barman*.

"—Hay, que ya es bastante —digo.

"En realidad llevo unos días con la mente nublada de pensamientos en torno a Anazabel y he decidido irme a la calle, tomar el escaso fresco de los portales, mirar cualquier cosa, darme un trago, puesto que ni escribir algo medianamente bueno consigo en momentos así. Pronto me quedaré sin encargos, bromeo conmigo mismo; ya ni confiable soy.

"—Ponme un trago —digo, en efecto, y el *barman* me mira.

"—Un trago a esta hora —protesta—, ¿te quieres lavar el estómago?

"—Ponme uno y no me compliques la cabeza —vindico.

"—Espera a que yo vuelva —dice el *barman*—, que tengo a aquel tipo esperando.

"Desganado, dejo de insistir. Me veo acodarme en la barra, ladeo la cabeza y escucho las sandeces que armoniza un baladista en la radio. A los pocos segundos comprendo que me estoy burlando de la letra de aquella canción, la cual, sin embargo, comienzo a tararear después; cuando un locutor se hace de la palabra para recordar que, nos guste o no, nos encontramos en los ámbitos de no sé qué discoteca de no sé qué onda de no sé qué alegría. Enseguida busco al *barman* hacia la esquina de la barra y lo veo alcanzar una botella encima de un estante y mediar un vaso. Me agrada cómo los profesionales sirven el ron, con esa seguridad al ladear la botella. Lo sigo con la mirada y descubro, casi al final, a una mujer que recibe el vaso mirando al *barman*.

"Me concentro en ella. Desde mi posición a algunos metros puedo verla sólo de perfil, apresada por la penumbra rojiza, pero de cualquier modo me ha llamado la atención su figura delgada, aquel gesto al asir el vaso cuando por fin se da un trago.

"Espero al *barman* y le pregunto. 'Dicen que no es de por aquí', cuenta, 'dicen que es una mujer abandonada'. Exijo más detalles. Mi amigo protesta. De modo que ahora me entretengo con mujeres salidas de la nada. 'Con atisbos de mujeres', quiere decir, pero lo plantea a su forma. Sí, me interesa la mujer, el hecho de que beba sola y tan temprano en un sitio al que, a todas luces, le queda grande. 'A ésta no tienes que inventarle ningún misterio', precisa el *barman*, 'es misteriosa de por sí'. Por un momento ha olvidado que eso es lo que soy, un inventor de historias, un patético tergiversador. 'Lleva como un mes viniendo al bar', me informa luego. 'Dicen que a lo mejor es hasta extranjera, una española empeñada en familiarizarse con estos sitios cínicos, de bebida sin clase. Dicen que de la puerta para afuera es otra, que pierde la compostura y hay días en que se revuelca por los rincones'. Lo miro. Pretendo un ceño incrédulo. El *barman* sigue andando. Sin volverse, concluye:

"—Dicen cualquier cosa y uno no sabe, porque no habla con nadie. Aparte de pedir sus rones, parece muda."

IX

La orden era robar. Robar perros, había dicho la alemana con voz que semejaba una broma, y ellas comenzaron a sonreír, pero después se fueron poniendo serias. Más tarde se quedaron boquiabiertas, la miraron en espera de que se desdijera, pero resultó que no era un juego. Quisieron simular que no entendían, arriesgaron otras propuestas, adoptaron expresiones ceñudas, aunque la alemana lo tenía todo dispuesto.

—Ustedes, tipos de la baja vida, deben saber que en La Habana un buen perro vale cualquier cosa —sentenció.

Después se puso de pie, caminó misteriosamente rumbo al cuadro de la bañista desnuda, pareció desistir de alguna idea y siguió explicando:

—Robarán cachorros, perros jóvenes, de tres o cuatro meses, que se dejan engañar y todavía no son fieros.

La Cupletista y la Bella la miraban, serias aún, pero ahora sin esperanzas. Cierta resignación comenzaba a rondarlas.

—Me los traen y yo les doy salida —siguió revelando la alemana—. Cobrarán un por ciento de cada venta, si es que no se equivocan y se dejan desguazar por un perro grande.

Al parecer, no podrían oponerse. Que robar perros resultara un negocio rentable nunca antes se les había ocurrido, pero si la alemana lo aseguraba, debía ser cierto. Un cachorro de lujo, después de todo, podía ser atractivo para cualquiera. La táctica consistiría en robar con moderación, para no tentar demasiado a la mala suerte. Lo dijo la alemana mientras las miraba sonriendo más con los ojos que con la boca, socarrona.

—Eso sí, las quiero bien alertas. No se me confíen, que si se me confían, las pierdo. Miren que dice la Biblia que el que anda de noche, tropieza porque lo alumbra la luz de la luna.

—La luz del Infierno te alumbre a ti —susurró la Cupletista, pero la Bella Repatriada, haciendo un esfuerzo por recordar la frase completa, dijo:

—Andando, mi amiga, *jalea acta est*.

La alemana les había dicho que lo aconsejable era desplegarse en zigzag, una semana al Vedado y la otra a la Víbora.

—Un robo a la semana; dos sólo en caso extremo, pues ni ésa es mi única entrada ni este negocito es para rufianes de poca monta.

—Como si fuéramos estúpidas —dijeron las amigas, y ella concluyó:

—Eso sí, derechito con el perro para Marianao. No quiero desvío de recursos.

El chofer, que fue con ellas desde la primera noche, parecía haber cartografiado la ciudad y recordaba al detalle un sinfín de casas a donde ir por un perro.

—Nadie se imagina de lo que soy capaz —se vanagloriaba—. Yo tengo hecho un censo de todos los perros de La Habana. Desde La Lisa hasta El Calvario. Desde Guanabacoa hasta la Conchinchina. De los perros de verdad, por supuesto.

Parecía cierto. Apoyado en unos cuantos compinches, el chofer había ido acopiando direcciones, razas y hasta la cantidad de habitantes de las casas en las cuales un día operarían, cuando le era posible ir al detalle.

—Esto es un trabajo paciente —solía repetir—, y hay que realizarlo con gusto.

Oculto en la guantera del carro tenía un listado de las víctimas inminentes.

—Éstos son mis estatutos —reía y propinaba un tirón a la puertecilla de la guantera—. Yo, que nací para gerente —se lamentaba después—, o para corredor de autos, como Schumacher; o para chulo, como Yarini; o para gobernador, como Terminator; tengo que consolarme haciendo con gusto lo que hago.

La Bella y la Cupletista, dueñas de menos entusiasmo, lo observaban desde el asiento posterior y fruncían los labios como si les repugnaran sus alardes. Por señas se burlaban de sus ojos vacunos y lo maldecían. Tenían miedo, y no hallaban la forma de convencerse de lo contrario. "Halid", mascullaban, "con ese nombre de azerbaizhano..."

Un orgullo de casta las predisponía contra su nueva ocupación, aunque no eran capaces de negarse. Sin embargo, cuando vieron en sus fichas los primeros robos, estuvieron dispuestas a aceptar que ni el asunto era tan complicado ni el dinero picaba tan raso. La alemana, después de todo, podía ser razonable, las provocaba Halid y, aunque ellas se hacían las distraídas, él insistía:

—Ya ven como todo se aprende —agregaba mirando sus caras en el pequeño espejo a su derecha—. Ustedes, que nada más sirven para rateras, en un negocio de verdad —insistía el chofer—, quién lo diría.

—Éste no sabe que yo hace algunos años monté en Rusia el mejor negocio que haya tenido un cubano allá —dijo la Cupletista.

—En Rusia no hay maricones —reía el chofer—. ¿Qué hubieras hecho tú en Rusia, donde nunca se acaban los fríos?

Operaban a media madrugada, siempre en un sitio en penumbras, de cercado fácil. El Chevrolet se quedaba unas cuadras antes, con los faros a oscuras y el motor prendido, y ellas localizaban el cachorro, se persignaban, saltaban la cerca, le ofrecían un bocado y lo capturaban. Solían juguetear con él en el asiento trasero del carro mientras Halid manejaba indiferente. A la hora de entregárselo a la alemana, lo hacían con una mirada de reproche, simulando que ya le habían tomado cariño, como si la patrona en realidad las estuviera despojando.

Una madrugada —llevarían un mes en la ocupación— penetraron a un portal cuyo riesgo mayor era una luz del alumbrado público que lo bañaba desde la esquina. Se trataba de una zona poblada con dilación, de casas alejadas unas de las otras y todas a su vez de las avenidas por las que circulaban con naturalidad los automóviles. En el portal, con un perímetro de ladrillos a vista y malla de acero, había una camioneta, debajo de la cual, según pesquisas de Halid, dormía un dogo inglés destetado no hacía mucho. Se trataba, decía el chofer, de una raza nada frecuente en Cuba y, para rematar, de un perro con raíces en el Antiguo Egipto. Hacían mal los dueños en ponerlo a dormir fuera de la casa, porque un animal así todavía está para que lo cuiden a él. La Cupletista y la Bella rodearon agazapados la camioneta, miraron entre las ruedas del frente, después entre las posteriores, pero no encontraron al cachorro. Se preguntaban con mímicas qué hacer, cuando vieron salir a un hombre de la cabina de la camioneta, y se quedaron petrificadas. Por alguna razón andaba despacio, tal vez no lo hubieran despertado ellas con sus ruidos, sino sus propios deseos de orinar, su propia sed, pero el caso era que, en aquel portal poco menos que diminuto, pronto las descubriría. Comenzaron a avanzar en dirección opuesta a la del hombre, que rodeaba a su vez el vehículo con pasos inseguros, en actitud de quien no ha despertado del todo. Lo único que las pondría a salvo era, lógicamente, saltar de vuelta a la calle, pero en aquel parco escenario no tendrían el tiempo suficiente. Entonces, la Cupletista se detuvo. Con gestos precisos le indicó a la Bella que se metiera debajo de la camioneta y la siguió ella misma, pero se incorporó enseguida por el lado contrario y quedó justo detrás del hombre, que proseguía su ronda pausada, sin objetivo aparente. La Bella se preguntaba qué treta pondría en acción su compañera, cuando la sintió gritar a toda voz. No hacía otra cosa ni lo hubiese necesitado, porque el hombre se vio cogido de sorpresa y reculó con los brazos en alto. La Bella Repatriada salió a toda velocidad de su escondite y trepó sobre la pared, y al verse del otro lado comprendió que ya la Cupletista estaba igualmente afuera y le ordenaba correr. Fueron hacia donde debía esperarlas Halid y lo encontraron, en efecto, con el motor en marcha, pero apenas se metían a empujones en el asiento de atrás, asomó en la esquina cercana el hombre de la camioneta. El Chevrolet estaba de frente al hombre y Halid no quiso levantar sus sospechas. Ordenó silencio en el asiento de atrás, apagó el carro y salió a la calle, donde el hombre comenzó a interpelarlo. Halid negaba: no había visto a dos tipos corriendo por allí. Lo suyo era algo más digno, un asunto de mujeres, "me alquilaron por un tarro ahí", aseguró. El hombre le ofreció una mirada de comprensión y resolló abiertamente, con las manos en la cintura. "Casi los agarro", decía, "si no es porque empiezan a gritar, los cojo mansiticos".

—¿Cómo que a gritar? —quiso saber Halid.

—Sí, compadre —explicaba el otro—, yo duermo en una camioneta. Me pagan para que la cuide a ella y a un perro que duerme conmigo. Hace diez minutos vi entrar a esos tipos al portal. Los dejé que se confiaran y me bajé sigiloso por sus espaldas, pero los muy cabrones me habían descubierto y me entraron a gritos.

—Así que griticos —se mofaba Halid más tarde, pasado el peligro, y la Cupletista se hacía la desentendida—. Mucho grito y ningún perro —insistía el chofer—; si lo pienso demasiado, voy a darme cuenta de que ustedes no sirven para esta responsabilidad.

Ellas a su vez le echaban en cara su inexactitud y le preguntaban si no estaría insinuando que para complacerlo hubiesen debido cargar con camioneta y todo. Pero a partir de aquella vez fueron más precavidas. Se demoraban en rituales absurdos antes de decidirse a penetrar en las casas y después Halid las reprochaba.

—Tú en esto arriesgas poco —se defendían ellas—, y así y todo te lamentas. Pero te vas a tener que acostumbrar a estas compañeras cautelosas.

—Cautelosas no; lo que tienen es miedo, y el miedo es lo que atrae los peligros —protestaba el chofer.

Otra noche, en Luyanó, a punto de introducirse en un patio, vieron prenderse una luz dentro de la casa. Recularon hasta la esquina y se pusieron a vigilar. Al rato comprobaron que nadie salía, pero tampoco apagaban la luz. Quizás fuera el momento para irse de allí, razonó la Bella Repatriada, pero la Cupletista le exigió calma, le dijo que al dinero no se renuncia de modo tan fácil, que si la alemana las obligaba a buscarse la vida, se la buscarían. Y no siempre por la derecha, ya verían la alemana y toda su ralea. Sentadas en el contén, acechaban a distancia bajo el prudente frío de la madrugada, hablando en susurros sobre cualquier cosa.

—Estas noches así —comentó la Bella— me violentan el recuerdo, y lo peor es que no paro hasta mi niñez, allá en Placetas. Me acuerdo del frío terrible de aquel pueblo, de sus calles anchísimas, sus dulces fabulosos y de sus pocos maricones.

—No me digas —se burló la Cupletista—; así que no había maricones en Placetas.

—Declarados, no muchos. Unos 20 en todo el municipio, que es frío y grande, como no te imaginas. De los solapados no puedo dar fe, pero a los pájaros manifiestos de aquel entonces soy capaz de recordarlos a todos por sus nombres. Eran nombres sin gracia y totalmente del dominio público.

—Sí, debe resultar muy triste ser maricón en Placetas —convino su amiga—. Yo nunca he ido a Placetas —puntualizaba—, pero si hubiera tenido la desgracia de nacer allí, me metía a cualquier cosa, excepto a ganso. ¿Qué se diría de ti si vivieras allá todavía?

—Yo hubiera sido un fracaso —suspiró la Bella—. Me hubiera secado como una vicaria al resistero.

—Tú no te secas tan fácil —aseguró la Cupletista en un tono de repente cariñoso, que sonó extemporáneo a aquellas horas.

—¿Te he contado —dijo la Bella sin responderle— de cuando me encapriché con el ahorcado?

—¿Qué ahorcado? —preguntó la Cupletista y se apretó más contra su amiga.

—Uno que se me encarnó durante muchísimo tiempo.

Y le explicó que una vez, con siete u ocho años, comenzó a soñar con un ahorcado.

—Lo veía clarito en el mango de la casa de mi abuelo, en las afueras de Placetas, en una sabana ondulada hacia el sur, donde está el nacimiento de un río. Lo veía siempre al amanecer, con los ojos abiertos y una mirada de resignación muy intrigante. Estaba desnudo y el color de la piel se le había descompuesto hacia un morado sin esperanza, pero tenía un animal de buenas proporciones que no compaginaba con la rigidez del resto del cuerpo. En mis sueños, el animal aún no se le había entiesado.

Guardó silencio.

—Coño —dijo la Cupletista.

—Creo que no dejé de verlo ni una noche —siguió contando la Bella—; todo un año mirando al ahorcado en su mango, pero no le tenía miedo. Era una visión contenida a la que no alcanzaba lo macabro. Yo me levantaba y a veces no lo recordaba hasta por la tarde, y recordarlo era siempre un aviso de que retornaría esa misma noche.

Volvió a detenerse. Como si hubiera encontrado la manera mejor de finalizar su relato, añadió:

—Quizás incluso hubo días en que soñé con él y después no lo recordé en absoluto.

—Deja eso ya —dijo la Cupletista—. Hablar de los muertos los atrae, y si es de noche, más que peor.

—El cuento sigue —aseguró su amiga.

—Deja a los muertos. Ya apagaron las luces en esa casa —dijo la otra, incorporándose—, así que vamos.

—Es mejor esperar —explicó la Bella, como si en realidad se asiera a cualquier cosa para seguir fabulando—. Que vuelvan a dormirse bien.

La Cupletista suspiró, condescendiente.

—Bueno. Pero trata de olvidarte del ahorcado ése. —pidió.

—Una vez vine de la escuela con muchas ganas de orinar —prosiguió la Bella sin prestarle atención—. Solté los libros en la sala y corrí al baño como un loco, sin percatarme de que mi padre se duchaba. Verme entrar no lo sorprendió. "Hola", me dijo y continuó enjabonándose como si nada. Yo nunca antes lo había visto desnudo. Al menos no con tanta conciencia de estarlo mirando. Y entonces, de verlo aquella primera vez, me di cuenta de que el animal de mi padre era el del ahorcado de mis sueños. Copiados milímetro a milímetro, exactos, uno y el mismo.

—Lo que pasa es que desde entonces ya tú eras loca a los hombres —dijo la otra—. Enferma a la pinga.

—Lo peor —continuó la Bella como si no la hubiera escuchado—, lo trágico, si quieres, es que sólo en ese instante me percaté de que nuestros trastes eran también idénticos. Mi padre y yo vistos a través de un ahorcado, la cosa del ahorcado irradiándonos.

—¿Y ya? —preguntó la Cupletista en un tono que mostraba su distanciamiento del patetismo de su compañera.

—Ya —convino ésta—. Creo que ése era el aviso de que mi padre se ahorcaría.

—¿Y se ahorcó?

—Aún no lo ha hecho, pero va y lo hace, no lo dudes mucho.

—Pues yo creo que ni me acuerdo de cuando fui niño —admitió la Cupletista—. Pero cualquier día de éstos te cuento algo más interesante, nada menos que la prodigiosa historia del ruso que me hizo mujer.

—Te encanta exagerar —se oyó sonreír a la Bella—, pero no me darás celos con ese ruso inventado.

La Cupletista se agachó a su lado y permaneció raramente encorvada, mirando en dirección a la casa y tratando de dominar el frío que la envolvía; tratando de concentrarse en el perro que en unos minutos deberían secuestrar. Después, mientras echaban a andar sigilosas, susurró:

—Serguei. Se llamaba Serguei. Tenía una mirada de vikingo y una piel tan delicada que parecía la de una *geisha*. Eso era lo que me arrebataba, ese contraste. Era lindísimo y una vez organizó para mí una función de William Shakespeare.

X

“Le digo que ahora sí quiero un trago. Mi amigo hace un gesto de fastidio y me alcanza una botella. Mediando yo mismo un vaso, pienso acercarme a la mujer, sentarme a su lado y dialogar, tal vez como dos mimos tristes y extemporáneos. Pero he dicho que este encuentro no es un encuentro, y tardaré en desmentirme. Intuyo, además, que si intentara acercármele, sería movido por mi relación con Anazabel, por nuestra desunión. De no ser por Anazabel, yo, presumiblemente, no hubiera venido hoy a este bar. O no hubiera venido la mujer que sigue conversando con su vaso de ron, mientras la luz rojiza del bar la perfila allá al extremo de la barra, como un atavío sensual.

”Es una imagen repetitiva. De hecho, algo parecido he visto por estos días. De no ser por Anazabel, probablemente esa mujer, incluso, no existiera.

”Soporto el ron en la boca por unos instantes, con la respiración contenida. Después lo dejo deslizarse despacio por mi garganta, suspiro y ensayo mi llegada junto a ella.

”Pero desisto y vuelvo a beber.

”No consigo explicarme la razón de que una mirada al espejo detrás de la barra me sitúe en la Suiza de 1857.

La mujer que bebe en soledad deberá esperar. O no. Incluso, el hecho de que yo evoque estos pasajes en Suiza pudiera deberse a ella. O a Anazabel.

"Veamos: en plena campiña, como se dice, hay una especie de posada que ofrece comida a los viajeros. Es poco antes de mediodía y al torvo ajetreo de la posada se suma el arribo de un carruaje. Desciende un hombre alto, de unos 30 años, de piel blanca y barba atenuada que el sol hace rutilar con rojizas intermitencias. Tras él vienen dos caballeros que lo acompañan a la mesa.

"Te recuerdo que estamos en la Suiza de 1857. Los recién llegados entablan un diálogo en francés y piden vino y carnes.

"Por alguna razón insisten en hablar de la guerra, de una guerra distante en el espacio y en el tiempo. Los amigos del hombre de la barba le llaman Graf y, a pesar de que ambos pueden doblarle la edad, sus preguntas acusan un tono de genuflexión.

"Parecen no tener demasiada prisa.

"Han ordenado vino dos veces más y beben sin ceremonia, conscientes de que la bebida no da para eso.

"—Pidamos al auriga que tenga calma —dice el barbudo y ríe en dirección al conductor del carruaje—. De cualquier forma, nos será fácil llegar antes del anochecer.

"Siguen entretenidos en su conversación, hasta que la llegada de un nuevo carruaje los hace levantar la vista, quedar en suspenso ante la puertecilla que se abre, prestar oídos a lo que explica una doncella mientras gesticula con apremio. Pregunta por el posadero. Pide ayuda a alguno de los señores que la miran sin explicarse todavía la causa de su zozobra. El barbudo se pone de pie y avanza hacia la doncella. La interroga con breve parsimonia y ambos se dirigen al carruaje. Al llegar, se ve a una dama.

Intenta bajar por sí misma del carruaje, pero se detiene y se dobla levemente.

"—Cómo es posible, señora —dice la doncella—. Puede hacerse más daño aún.

"—¿En qué puedo ayudarla, *madame*? —pregunta el barbudo y añade—. Soy el conde Liev Tolstoi y haré cuanto mande.

"La señora se ha golpeado hace poco una rodilla y sufre de arduos dolores. Ocurrió durante una parada en medio del campo. Se disponían a seguir el viaje, cuando cayó y una piedra se incrustó en su pierna. El conde la ayuda a acomodarse. Ella dice que no es para tanto, pero lo deja palpar la rodilla por encima de los tules. Sería preciso ver esa rodilla, comenta el conde. Pues, mírela usted, dispone la señora, ¿acaso es médico?

"—He estado en la guerra —dice el conde.

"—Entiendo —dice la dama.

"Más tarde, el conde asegurará que la imagen de aquella rodilla le infundió la certeza de que había encontrado a uno de sus personajes predilectos. Tuve que esperar casi 20 años, escribe a un amigo, pero cuando me empeñaba en figurarme los rasgos de Anna Karenina, recordé a la dama suiza y su bella rodilla. Karenina encarnó en la suiza a quien conocí recién salido del ejército, cuando tenía escritos apenas dos libros."

XI

Se encontrarían, al cabo de una llamada telefónica, en una cafetería de Prado, desde cuyo interior acristalado la vía y el paseo semejaban una lenta película en sepia. Rítzar llegó primero y se acomodó en una mesa para dos, sin ordenar más que una botella de agua mineral. Otras veces ya había estado allí y el sitio le placía sobre todo por la música que solían regalar. Ahora, por ejemplo, se escuchaba a Omara Portuondo en una guajira más melodiosa en su voz que en la de otros cantantes que también se aventuran a entonarla. Rítzar se dijo que eso eran las canciones: música, sobre todo, y por eso una buena voz puede salvar cualquier letra del ridículo. Era grande Omara, pensaba Rítzar mirando las burbujas de su vaso y musitando la letra de la guajira.

Cuando levantó la vista, reparó en unos patinadores que, en el Prado, lo entretuvieron con su insistencia por pulir los movimientos de un salto que no conseguían. Habían colocado unos obstáculos y una rampa que, desde la mesa en la cafetería, Rítzar debía más bien adivinar, pero resultaba evidente, por la manera en que los patinadores, a breves intervalos, se deslizaban semiagazapados hasta un punto en el cual emprendían un precario vuelo para caer unos metros más allá, arrastrados por la impericia.

Tenían todos esa edad en que la adolescencia comienza a resultar sospechosa, y hay quien prefiere alejarse de ella a grandes trancos. Rítzar los veía darse ánimos, iniciar la carrera, saltar y caer inevitablemente, y se explayaba en adivinar las palabrotas que articulaban tras cada fracaso. Se le ocurrió que el hecho de no poder escucharlos, debido a la hermeticidad de la cafetería, los hacía verse algo apáticos, como si la mudez les pesara en el cuerpo. Aquella pesadez, por otra parte, añadía un tono de irrealidad a la estampa de la cual eran protagonistas, allí en medio del paseo, y la volvía, no anacrónica, sino más bien atemporal. El que se preparaba ahora para el salto parecía maquillado como el rockero Marilyn Manson.

Rítzar lo siguió con la vista a medida que se retiraba para cobrar impulso. Si no era el más diestro, por lo menos llevaba el atuendo más original, pensó. Pero, después, el espiado dio muestras de ser una especie de líder. A punto se encontraba de emprender la carrera, cuando llegó a su lado otro de los patinadores y quiso tomarle ventaja. De hecho, el intruso apuró un deslizamiento hacia la rampa, mientras con un brazo extendido hacia atrás obstruía la maniobra del rockero, pero, antes de conseguir lo que buscaba, se vio interferido por otros dos colegas, que lo empujaron sin consideración. Perdido el equilibrio, se arrastró unos metros y el rockero, que ya estaba junto a él, lo golpeó en una pierna con la suya enfundada en el patín. Después regresó al lugar más apropiado para el impulso y miró todavía al otro en el suelo, masajeándose la pierna en una actitud quejumbrosa. Reemprendió el patinador la carrera, pero de pronto se le vio eludir la rampa y continuar hacia la esquina inmediata, por donde entraba al Prado una joven.

Entonces comenzó a girar en torno a ella, graciosamente inclinado como en una interminable salutación, y la joven —Anazabel— lejos de molestarse, proyectaba una silueta halagüeña. Fue lo que se le ocurrió a Rítzar, pues si indudablemente desde su lugar tras los cristales sepia no alcanzaba a ver la expresión de su cara, la forma en que Anazabel seguía andando —sin prisa y más bien con parsimonia— acusaba cierto bienestar al verse rodeada por el patinador. Con toda probabilidad era la primera vez que Rítzar la observaba en la compañía de otro hombre y, aunque ésta era irremediablemente fortuita, lo entristeció esa contingencia. El adolescente que impostaba el rostro de Marilyn Manson se detuvo por fin para dejarla seguir, pero le facilitaba el paso con galanterías que la siguieron hasta cruzar la calle, y Rítzar se apresuró a cambiar de mesa, a hacer como que meditaba al otro lado de la cafetería, donde la vista del Prado estaba ahora fuera de foco.

Cuando la vio en la entrada con su cabello negrísimo, sus espejuelos y los *jeans* apretados, en los cuales le gustaba reincidir, se incorporó para hacerse notar, pero ella vino con cara de burla, le ofreció la mejilla y alardeó:

—No tenías que llamarme. Yo soy capaz de olerte a mucho mayor distancia —pero Rítzar se dijo que su mirada resplandeciente no era mérito suyo, sino del patinador.

Probablemente, conjeturó después, ambos supieran que ella mentía. No era una cuestión palmaria, por supuesto, sino a nivel de simpatías, de necesidad. Comenzaba a repetirse que Anazabel, por lo menos con él, fraccionaba sus emociones; jamás aceptaría, por ejemplo, hablar sobre el amor y, sin embargo, ahora él se sentía impulsado a hacerse perdonar por haberla estado espiando apenas un minuto antes. Su penitencia consistiría en convencerse, a contrapelo de cualquier otro indicio (a favor, por lo menos, de Sacher Masoch), de que el júbilo mal contenido de Anazabel estaba propiciado exclusivamente por aquel encuentro pactado días atrás.

Pidió unas cervezas, pero ella lo contradijo: por esa vez no bebería alcohol, mejor le ordenaba un refresco. Rítzar se disgustó un poco. Una de sus creencias consistía en dar por sentado que la mujer que te acompaña a un trago de alcohol te manifiesta intimidad. Sirvió los dos vasos y demoró el suyo entre las manos, agradeciendo con la piel la tregua que le brindaba el frío del cristal. De vez en cuando sorbía brevemente y contestaba sin demasiadas explicaciones las preguntas de Anazabel. Ella, al poco rato, le dijo:

—Me he dado cuenta de que las últimas veces que nos encontramos, tú estás como en otra parte.

—Me voy hacia ti —replicó él, por fin, y le hizo gracia saber que no mentía.

Anazabel levantó el vaso, pero sólo besó la superficie de su refresco y Rítzar sonrió, porque se trataba de un gesto a propósito para resultar coqueta. La observó con los labios en el cristal, bebiendo sin beber y se dijo que tal vez todo fuera apenas un equívoco, que si se esforzaba por entenderse, quizás llegase a ver claro que no amaba a Anazabel, que nunca la había necesitado con su belleza recelosa y aquellos caprichos con que pespunteaba sus citas. Se sorprendió un poco al escucharse decir:

—No es bueno que me gustes así.

—¿Así cómo? —dijo ella, animándose.

—Tanto —agregó él.

Ella alargó un brazo y tomó su cerveza. Bebió y perfiló una mueca infantil, graciosa.

—Pero me gustaría que me complacieras, que no me mortificaras más —añadió Rítzar.

—No te mortifico —aseguró Anazabel.

—Yo insisto en que juegas conmigo.

—Ninguna mujer juega de esa forma —sentenció ella, y su énfasis y la seriedad al decirlo silenciaron a Rítzar.

En ratos como aquél podía llegar a la conclusión de que todo estaba perdido. De que lo mejor era no insistir. Que más le convenía olvidarse de ella. Anazabel le notó el ánimo sombrío y de repente quiso cambiar de conversación.

—Antes de venir para acá tuve que revisar mi *e-mail* —comentó—. Espero unos archivos para un trabajo de literatura, pero aún no los he recibido. Sin embargo, había en mi buzón uno de esos mensajes en cadena que me causó curiosidad. Esta vez solicitan firmas para un grupo de teatro ruso al que le suspendieron la subvención. Son moscovitas y se presentan sólo en invierno. Escenifican sus obras en la calle, en los parques, más bien y, de invierno en invierno, llevan ya muchos años juntos. Desde la época del comunismo. Surgieron con Mijail Gorbachov y aquellas promesas de franquicias inéditas, pero ahora los burómanos de la cultura no se acuerdan de ellos. Por eso amenazan con dejarse morir de frío. Asegura el mensaje que han desplegado una pancarta con una frase que dice: "Nadie ama a los rusos".

—Yo conozco esa frase —dijo Rítzar.

—¿También te mandaron el mensaje? —dijo Anazabel.

—No —explicó Rítzar—; es una frase de Mijail Bulgakov. Está en una de sus comedias.

—¿Crees que ese mensaje es cierto? —preguntó Anazabel—. Dice que debe ser reenviado a diez direcciones más como mínimo. Que la sinagoga del infierno será para quien no lo reenvíe.

—Siempre dicen lo mismo —dijo Rítzar con desdén.

—Pero a mí me da un poco de lástima —comentó Anazabel—. Dicen que los actores prometen quedarse desnudos en la nieve hasta dejarse morir. En un parque de Moscú, en pleno febrero y, para colmo, en cueros. Una huelga de frío.

—Todas esas cadenas de Internet son mentiras —dijo Rítzar—. Yo las elimino sin abrir.

—Pues yo creo que ésta es verdadera y ya la reenvié —concluyó Anazabel—. Esta vez tengo la impresión de que si no la reenviamos, la sinagoga del infierno será únicamente para esos desdichados actores.

Rítzar sonrió. Tomó un sorbo de cerveza, adoptó una expresión condescendiente y declaró:

—Si ya reenviaste el mensaje, puedes olvidarte de él sin remordimientos.

—Si tú lo recibes, pues debes suponer que fuiste uno de mis destinatarios, ¿lo reenviarás a tu vez?

—Sí, pero ahora deja a esos rusos, pues quiero hacerte un regalo.

Ella se interesó, comenzó a iluminarse.

—¿Qué será...? —preguntó con voz teatral.

—Un perro —explicó él.

Anazabel amaba los perros. Cualquier animal le resultaba agradable, pero los perros sobre todo. A propósito, recordaba, siempre la disgustó el hecho de que en *Hombres sin mujer* no hubiera uno solo. “Ni como alias, siquiera”, explicó; “¡qué desencanto!”. Y agregó que en algunos cuentos de Carlos Montenegro, sí; que al parecer el escritor relegó a los perros a sus cuentos, inferiores a su gran novela, inferiores a los cuentos de varios de sus contemporáneos, Enrique Labrador Ruiz, por ejemplo. "Si algo no le perdono", bromeó, "es eso. Y que haya dejado vivo a Manuel Chiquito".

Rítzar no podía precisar si en *Hombres sin mujer* se había segregado definitivamente a los perros, aunque recordaba que uno de los cuentos de Carlos Montenegro arrancaba con el ladrido de un mastín.

—Ése es "La bruja" —aseveró Anazabel.

—El que pienso regalarte también es un perro de raza —puntualizó Rítzar.

—Lo acepto —solemnizó ella—, aunque después lo deje morir de hambre con mis despistes. ¿Cuál es su raza?

Era un rottweiler que le había ofrecido su hermano. Rítzar, satisfecho, dijo que sí, pero como vivía en altos, en un sitio con un balcón destartalado y estrecho, lo llevaría a casa de una amiga. Con ella pasaría a recogerlo.

Desde Prado hasta Aguiar eran unas pocas cuadras que ya a aquella hora se podían transitar a la sombra. Calles de pocos autos, de gente que se comportaba en la vía como si estuviera en un parque: niños jugando a la pelota, hombres aferrados al dominó, ancianos al fresco de la tarde. Cuando afluían a Trocadero, dijo Rítzar:

—Hacia allá vive un poeta, Antón Arrufat; hacia este otro lado vivió José Lezama Lima. Como nos dirigimos a La Habana Vieja, cruzaremos frente a Lezama, pero no frente a Arrufat.

—¿Y quién no sabe —sonrió Anazabel— que para llegar a Arrufat es obligatorio haber pasado por Lezama?

—Eso depende —improvisó él—; por ahora dejemos esa caja cerrada.

El hermano de Rítzar vivía a lo largo de un pasillo, tras un patio en el que la luz comenzaba a corromperse y al cual caían discretas ráfagas de un viento seco y aún cálido. Cuando iban a llamar a la puerta, Rítzar comentó:

—Cada vez que vengo a este lugar me acuerdo de El Cairo. De El Cairo de Naguib Mahfuz, con su gente hosca y sus rincones sobrevolados por olores remotos. Una vez que me marcho, me pregunto por la maldita relación entre Mahfuz y este hermano mío... No comprendo mis asociaciones.

Tocó. Anazabel iba a replicarle, pero se lo impidió un hombre en pantalones cortos, sin camisa y descalzo, que más bien parecía el padre de Rítzar, no su hermano. Llevaba una cadena de un oro dudoso, de la que pendía un anillo de una pátina similar a la de los eslabones. Los miró unos segundos sin apartarse de la puerta, sin dejarlos adivinar si eran bien o mal venidos, hasta que acabó por hacerse a un lado.

—Pasen —dijo secamente y fue delante a perderse tras una cortina de cuentas vegetales que, al entrechocarse, originaron una diminuta algarabía.

"Pasen", repitió desde el otro lado, pero Anazabel se había detenido a contemplar las paredes de aquella especie de recibidor. Habían sido empapeladas a base de recortes de revistas que mostraban todo tipo de perros, de cualquier raza, y en las más disparejas circunstancias: perros en brazos de sus dueños, perros a la ventanilla de un auto, perros dormidos sobre imponentes cojines, perros a toda marcha por la playa, perros en el bosque, perros salvavidas, perros guardianes, perros de circo. Un recorte un poco mayor que los demás mostraba, en blanco y negro, a un pastor alemán en un sitio semejante a un campo de concentración, en alguna parte de Europa. Era un macho fabuloso, rozando con su cola la grava sobre la que lo había congelado la foto, amenazando a alguien que no cupo en el encuadre. En muchas partes, los recortes comenzaban a desprenderse, descoloridos, y ello daba a la salita, con su luz artificial y su techo agrietado, un vislumbre de sitio de nadie. "Pasen", insistió el perrero y Rítzar tiró de Anazabel para que traspusieran la cortinilla.

Lo encontraron sentado a una mesa, frente a un termo azuloso ("difícil de manipular de tan ancho", pensó Anazabel) y tres vasos.

—¿Quieren café? —dijo monótonamente cuando ya había comenzado a servir.

Rítzar levantó su vaso y lo acercó a Anazabel. Ella comprendió y lo golpeó graciosamente con el suyo.

—Por la paz —dijo.

El hombre los miró y comenzaba a reír con alguna mordacidad cuando irrumpió de otra pieza al fondo un cachorro que se le plantó delante moviendo la cola. Era negro y tenía una mancha parda en cada mejilla.

—Es éste —dijo el hombre al levantarlo—. Un rottweiler legítimo —y se lo puso frente a la cara y dejó que el perro le metiera la lengua en la nariz. Después lo colocó sobre la mesa y comenzó a frotarle el lomo—. Mira ese brillo —dijo—. Tienes que seguirle dando vitaminas.

El cachorro movió la cola, dio algunos pasos sobre la mesa y echó al suelo el vaso de Anazabel, que aún contenía una línea de café.

—Vaya —dijo el anfitrión y comenzó a sacudirse el pantalón.

Luego trató de agrupar con un pie los fragmentos más grandes del vaso. Café de mierda, decía sentado en el borde de la silla, frotando el suelo.

—Te vas a cortar —dijo Rítzar.

—Agárralo —dijo su hermano como toda respuesta—. Y aliméntalo bien, que esto es un monstruo comiendo.

—Ya te lo expliqué —dijo Rítzar—, no puedo tenerlo conmigo. Encarcelado en el balcón se va a morir de hambre y de sol, si no se derrumba con balcón y todo cuando empiece a crecer. Pero Anazabel lo cuidará por los dos.

—Yo te lo doy —replicó sordamente el hombre—. Si tú quieres regalarlo más para alante, es tu problema. Y no se demoren más, que los coge la noche.

—Ya nos vamos —aseguró Rítzar—. No sé cómo sigues descalzo por entre la mierda de los perros.

—Mierda y café —ironizó el hermano.

La piel del animal, que se había dormido en sus brazos, le causó a Anazabel una tranquilidad elocuente, que subrayaba su belleza. Rítzar la dejó adelantarse unos pasos y la observó bajo el cuerpo mostaza de una luz en la esquina. Eran hermosas su figura y su manera de andar con pisadas firmes, levemente largas. Y aunque no tenía unas nalgas demasiado categóricas, las caderas redondeaban muy bien su talle y sus muslos aprisionados por los *jeans*.

Le había dicho que deseaba ir hasta el malecón, sentarse un rato a la luna y conversar, por lo que torcieron en Cuarteles hacia la Avenida del Puerto. De la estrechez de la calle, de sus casas de dos pisos y paredes desconchadas afloraba un olor a sargazos; un olor solidificado por siglos de suceder y de no suceder. Bajaron salteando unos hilos de agua imprecisa y cruzaron la avenida semidesierta. Las olas los recibieron con un ronroneo apagado y ellos vieron el agua cortada por cintas de luz al fondo de la bahía. Más adelante, unos pescadores gesticulaban en silencio para después arrojar los cordeles lejos de sí, con energía brumosa. Anazabel se quedó mirando hacia el Cristo allá, en Casablanca, con una luminosidad inconsútil bañando su figura, y Rítzar se mantuvo en silencio, pensando que, por increíble que fuera, el ruido del mar siempre lo animaba, le proponía un estado de perspicacia tras el cual se escudaba su amor propio. Probaba a decirse que los pescadores, de pie sobre el muro y con las manos extendidas, parecían fantasmas en penitencia, cuando Anazabel se recostó en su cuerpo y estiró las piernas, suspirando. Con una mano en la cabeza del cachorro, declaró que ya le tenía un nombre.

—Se llamará Speek —afirmó—, porque es fuerte, como el hermoso negro de *Hombres sin mujer*.

Rítzar no le respondió enseguida, pero admitió para sí que era algo ocurrente bautizar de aquella forma al perro.

—¿Te gusta que le llamemos Speek? —insistió Anazabel.

—Me gusta —dijo él, abrazándola.

Ella acomodó al cochorro y reiteró su amor por los perros. Recordó que de niña su padre no los admitía en casa.

—Era un hombre de ciertas rarezas —evocó—, pero no era malo. Ni perros, ni gatos, ni pájaros quería. Ni amigos míos que vinieran a molestarlo cuando estaba en sus cosas, ni amigos suyos casi nunca. Era un solitario frustrado —guardó silencio. Miró a Speek y continuó—. Sin embargo, mi padre no se olvidaba de mí. Todo era a su forma, pero no se olvidaba.

—Desahógate —la animó Rítzar.

—Por ejemplo, cuando se fue a vivir con otra, nunca se acostumbró a la nueva casa.

—...

—Llegamos a saber que su esposa nos celaba y eso nos convenció de que mi padre nos seguía adorando.

—¿...?

—Una vez, en el verano, pasó a recogernos para llevarnos a Santiago de Cuba. Imagínate un viaje en automóvil desde La Habana hasta Santiago. Yo iba en el asiento de atrás, recostada al cristal de la ventanilla, soñando con los ojos abiertos. Me había inventado otro viaje, no a Santiago, sino a un sitio fantástico y brillante, al sitio de la felicidad. Después comprendí que lo importante no era arribar a parte alguna, sino el sueño continuo que me proporcionaba el auto a toda velocidad, por un paisaje que mi mente había violentado a propósito, para provecho de mis visiones. Por eso me desilusionó la ciudad mística y su carnaval epicúreo, y ya nunca la creí la urbe espirituosa que dicen que es, esa arpa de troncos vivos. Es más, de aquella noche sólo tengo un recuerdo basto, incómodo. La mujer de mi padre, que pedía una cerveza tras otra, se encaprichó en arrollar al ritmo de los tambores santiagueros, y se puso al frente de una ronda cavilante que formábamos mi padre, mi hermana, algunos amigos, ella y yo. Aún me recuerdo sujeta a la cintura de aquella mujer, tratando de marcar el paso con alguna dignidad y sus enormes nalgas delante de mí: era una rubia alta, con nalgas de congolesa que se balanceaban hacia un lado y hacia el otro, sin sentido de lo que debía ser una conga.

Rítzar, quien la escuchaba atentamente, se echó a reír. Después la besó y se quedó pendiente de sus nuevas palabras, pues había comprendido que aquella noche Anazabel estaba enredada en algunas nostalgias.

—Lo que más me gustaba de mi padre —continuó ella, en efecto— era su costumbre de contar historias: fábulas que él mismo erigía sobre restos de otras fábulas.

—Cuentos —sonrió Rítzar sorprendido.

—Había uno que no he querido olvidar. Cada poco tiempo me lo cuento a mí misma, para mantenerlo ahí, a mano en la mente.

Y acariciando a Speek sin mirarlo, precisó:

—Tenía y no tenía que ver con los perros. ¿Quieres escucharlo?

Rítzar quería. Ella le pidió que no la interrumpiera ni con preguntas ni con comentarios.

—Convenido —aceptó él.

—Escucha —dijo ella.

Un remoto emperador chino tenía un perro. Parsimoniosamente y venciendo una que otra reserva, le tomó un afecto que el perro parecía comprender, y reciprocaba. Una noche comenzó a amenazar tormenta. Desde lejos se escuchaba el rumor del trueno, como piedras enormes que alguien hiciera amontonar. Después, la lluvia se desbocó sobre el palacio y el viento hizo crujir las ramas de los árboles y pisoteó los jardines. En mitad de la tormenta el emperador recordó a su perro. Por alguna razón, aquella tarde lo había hecho encadenar y allá debía de encontrarse aún, en un jardín del palacio. Mandó por él, pero el criado, ya de vuelta, le informó que el perro no estaba.

Pasado el vendaval, esa misma noche, el emperador hizo traer a su adivino. Esperó en una de las puertas del fondo y cuando vio las linternas pestañando entre los árboles, suspiró un tanto aliviado. El adivino examinó la cadena y declaró que el perro había sido robado. Si el emperador le otorgaba dos minutos de concentración y el Tao lo consentía, quizás su conciencia bosquejara el paradero de los ladrones.

—Concedido —dijo el emperador y se apartó con las manos a la espalda.

El adivino permaneció de pie, balanceándose sutilmente a uno y otro lado, susurrando algún conjuro. Entonces comenzó a temblar; quien acercara una linterna a su rostro notaría su lividez.

—He sido yo mismo, emperador —musitó—, aunque debo de haber estado en trance.

—Está bien —dijo el emperador—, por ahora sólo tienes que llevarme a donde mi perro.

Llegaron a casa del adivino. El perro, que estaba echado sobre un cojín de flecos dorados, corrió hacia el emperador, gimiendo.

—Tenía la esperanza de haberme confundido —dijo el adivino—, pero veo que no.

El emperador acarició la cabeza del perro y notó que al lado del cojín había un plato de jade repleto de carne.

—Parece que no ha querido comer —admitió apenado el adivino—. Ignoro por qué sólo después de la tormenta el Tao me hizo percatarme de mi traición.

El emperador dejó al perro y dijo, ya en retirada:

—Decapiten al adivino. La fidelidad de los hombres tiene sus inconveniencias.

XII

"Un bar en la calle Monte (en la calle Obispo, recordarás también) y una mujer que bebe sola. Un vago indicio para emprender una novela, aunque, bien mirado, no ha de resultar menos vago que estos otros:

"- Una mujer que, en una piscina pública, eleva un brazo en gesto de poca gracia.

"- Una mujer que se deja insertar en una foto junto con el asesino; en un plano ulterior, pero en la misma foto.

"- Una mujer que compra una flor cada mañana, y es tan porfiada que debe ser una flor blanca, de tallo largo y sin hojas, sólo la flor.

"- Una mujer que en Buenos Aires, cerca de la estatua de Ceres, mira fijamente la espalda de un hombre que la presiente, pero se rinde ante el miedo de volverse.

"- Una moscovita sin hijos, de unos 30 años, casada con un gran especialista que ha hecho un importantísimo descubrimiento de repercusión estatal.

"- Una mujer en el purgatorio.

"- Una mujer tras la pared.

"- Una mujer al teléfono.

"El bar de estos apuntes es tangible. Cualquiera que pase por Monte puede verlo, maltratado y angosto, entre las calles Indio y San Nicolás. Quien tome asiento al principio de su barra esquelética puede pensar que se ha sentado en plena calle, junto al ruido de los carros y la gente. En esa entrada, en ese límite, no cabría la mujer de estos apuntes, la que se aísla para singularizarse, la sola en la multitud, que cobra vida sólo hacia el fondo, allí donde se atenúa el ritmo de la ciudad y pareciera que no importan las fechas y las ausencias pendientes de resolución, donde la luz carmesí de algunos bombillos mal dispuestos la hace parecer inaccesible y por eso mismo, sibilina. Porque sepas que mi bar es tangible, ¿cuánto se lastimarán realidad y ficción, ficción y realidad? ¿Supones (supongo) que todo el que piensa en escribir una historia lo hace compulsado por una mentira? ¿Por el solo deseo de erigir imágenes? ¿Qué busca el que cuenta? ¿Qué necesita? ¿Necesita mirar en destinos ciertamente ajenos? ¿Ser visto? ¿Es un espía o un manifestante? ¿Conocemos la razón de ser de un libro? Más allá de entretener, de provocar, de sus múltiples conatos de moraleja, ¿qué hace entre los hombres un libro? La letra, ¿se separa del todo de aquello que nombra? ¿Es pura referencia? ¿Referencia incontaminada? ¿Es un espejo o un puente? ¿Va hacia lo que relaciona o viene de allí?

"Hacia el año 1655, el cardenal Mazarino tiene la idea de ofrecer a la Biblioteca Real de Francia su exquisita colección de libros. Ensaya un gesto de filantropía que atenúe en algo su fabulosa ambición y lo deje en paz consigo mismo, aunque aún deberá convencerse de que desea en realidad hacer esa ofrenda. Entre los libros de que se despojaría se encuentra uno en dos volúmenes, en cuya tapa consta que ha sido encuadernado en 1456. Es la Biblia de las 42 líneas, que ha quedado como el primer brote de la imprenta de tipos móviles, ideada por Gutenberg. El cardenal, hombre de libros y de mundo, suele contar que Gutenberg se llamaba en realidad Johannes Gensfleisch, y que, por lo menos desde 1436, andaba en gestiones para poner en práctica su invento. Pero, como era un pobre diablo —así dice a menudo Julio Mazarino—, vivía enmarañado por las deudas.

Por ello debió mezclarse con banqueros y prestamistas, hasta que, cercano ya el día de revelar su artificio, fue despojado de sus derechos. Es por lo tanto el inventor, pero no el dueño de la imprenta, algo que siempre intuyó, desde que concibiera, 30 años atrás, la lóbrega idea de grabar libros en masa.

”Siempre que habla de su Biblia, Mazarino se detiene a contar una disputa que mantuvo a Gutenberg en guardia contra su último socio, el banquero Johannes Fust. El financista no alcanzaba a vaticinar todo el alcance de la imprenta (Gutenberg tampoco), pero ya había calculado las pérdidas como improbables. Llegó a interesarse por los libros que Gutenberg manejaba como posibles primogénitos de su proyecto y supo que entre ellos había al menos dos de contenido religioso. Uno era la *Biblia de las 42 líneas* y el otro un breve himnario titulado *Psalmorum codex*. Gutenberg quería imprimir primero el himnario, pero Fust, después de pensarlo bien, dijo que lo mejor era dar prioridad a la Biblia. Tenía en cuenta, sobre todo, los beneficios que podría producir aquella tentativa preliminar y se lo dijo al inventor en un tono sarcástico: ‘Querido, para que germinen las ideas, debe primero germinar el oro’. Instigado en definitiva por la suma que había destinado a la sociedad con Gutenberg, insistió tanto, que aquél se sintió molesto y riñó con él. Le recordó al banquero que ambas propuestas le pertenecían, que mientras soñaba con dotar al mundo de un sistema de impresión prácticamente insaciable (es el término que usa el cardenal Mazarino), se había dicho que, en efecto, el primer libro que saliese de su invento sería una salutación a Dios. *El salterio*, como también se le conocía al *Psalmorum codex*, era popular entre los clérigos de Maguncia, la ciudad de Gutenberg, y en la práctica resultaba precisamente una alabanza, mientras que la Biblia era Dios, su ley. Pero el banquero no se dejaba llevar por sutilezas. Dijo que, o se hacía su decisión, o no habría avenencia de ningún tipo. Dijo otras cosas más que, según Su Eminencia Julio Mazarino, rayaban con la ofensa, y Gutenberg, no menos ofuscado, lo amenazó con irse a ver a otro financista. De cualquier manera, estaba seguro de poder devolverle cuanto había invertido en el proyecto. El banquero Fust declaró que ya sabía lo ladino que era Gutenberg, que, por supuesto, lo había mandado investigar, y así fue como supo de sus líos con la justicia, unos 20 años atrás, en Estrasburgo. Ahora, al parecer, se disponía a remachar su fama de tramposo. Gutenberg, por su parte, dijo que antes, como ahora, ocurría una sola cosa: aquellos que no eran capaces de más ingenio que el del robo querían despojarlo de su gran innovación.

"Una noche Johannes (Gutenberg) Gensfleisch dejó su casa para ir a una diligencia en los suburbios. Siempre le habían gustado las calles nocturnas, despejadas de la agitación de las horas de mercado y de vagabundeo, en las que, gracias a esa misma tranquilidad, le era posible toparse con el olor a brea que venía desde el Rhin. Esa vez, Gutenberg iba lo que se dice ensimismado, si bien sería justo precisar que no estaba tan metido en sí, como en lo que se sabía a punto de conseguir. Al torcer en una esquina, un chisporroteo le retardó el paso. Casi enseguida, la lengüeta de una antorcha le echó a la cara un calor inamistoso, creciente, que lo hizo retroceder de espaldas, mientras se cubría los ojos con el antebrazo. Quedó contra la pared en una actitud defensiva, con la antorcha peligrosamente cerca del rostro, sin poder distinguir a sus agresores. Mucho después todavía le era difícil calcular el tiempo que permaneció en aquella postura absurda, esperando que el fuego le punzara los ojos o que lo ultimaran de alguna otra manera. Pero nadie lo hirió. Cuando, sin atreverse a mirar, comprendió que el calor de la antorcha comenzaba a reducirse, escuchó que alguien le recitaba imperiosamente el Deuteronomio 22,10: 'No ararás con buey y asno juntamente'. Después, la misma voz, en un tono más sosegado, añadió:

"—Eso manda decir el señor Fust, quien a partir de ahora es el dueño de la imprenta.

"'Así que este ejemplar, comenta Mazarino arrullando su Biblia y sonriendo— cumple y no cumple el deseo de Gutenberg. Es un libro que trae la palabra de Dios y, aparejado, el rencor de los hombres, pues Johannes Fust finalmente se salió con la suya al publicarlo primero, y por añadidura despojó a Gutenberg de todos sus beneficios."

XIII

—Por curiosidad —le preguntaron un día a la alemana—, ¿puedes decirnos hasta cuándo andaremos de perreras?

A la alemana parecía hacerle gracia la pregunta y, con aires de condescendencia, preguntó a su vez la causa de la inquietud de sus secuaces. "¿Será que no les va bien en la profesión?, ¿será que no se conforman con lo que reciben?" Hizo una pausa. Prendió un cigarro y lo retuvo entre los dedos antes de fumar. Era su costumbre: fumar sin fumar, como si no quisiera comprometerse con el cigarro. Algo parecido había en su relación con el chofer. Solía mantenerlo en suspenso, pero luego, de repente, le dejaba ver que lo necesitaba. Ahora, antes de responder a la Cupletista y a la Bella Repatriada, puso cara de pocos amigos.

—Andarán de perreras hasta que se pueda —se les encaró—; hasta que me acuerde de que una noche tuvieron la osadía de asaltarme; hasta que mis colegas se olviden de sus caras de palomitas inocentes, si es que se olvidan; hasta que se acaben los perros de toda La Habana y quizás los de Cuba entera o, sencillamente, hasta que nos volvamos ricas.

Sólo entonces se llevó el cigarro a los labios y tiró de él con una mueca a su modo de ver aristocrática. Se acomodó en el sofá y cruzó las piernas de una forma que, por culpa de lo corto del vestido, ponía al descubierto la profundidad de los muslos y una orla de la tela azul del blúmer. La Cupletista, sentada enfrente, la miró con un leve despecho e hizo un mohín. La alemana volvió a fumar y subrayó la finalidad de exponer toda la extensión de la pierna, que ella consideraba bella todavía. Nadie hubiera afirmado que la suya era una pose sensual, pero nadie lo hubiera negado abiertamente. Lo era y no lo era: la alemana proponía su sensualidad sólo para el pesar de la Cupletista. Le echaba en cara su gracia, su verdadera feminidad, en una actitud relacionada con aquella primera vez que la llevó a su casa y la Cupletista se atrevió a agredirla. Después de pensarlo bien, la alemana había concluido que el hecho de que la agrediera no llegaba a ser humillante. Tenía razones para creer que, incluso reducida por la Cupletista, era ella quien mandaba, y reconocía que írsele encima fue apenas un arranque de impotencia de la otra, "un berrinche de un pajarito equivocado", se explicó más de una vez, a sabiendas de que la situación estaba definitivamente bajo su control: nadie se imaginaba cuánto. Además, de la pelea le había quedado un interesante regusto a intimidad. Por eso la atraía la idea de jugar con la Cupletista, de provocarla con aquella inevitable condición de patrona, de mostrarse con ella familiar, aunque siempre fuese una familiaridad autoritaria.

Cuando entró el chofer, todavía estaba en su actitud de *donna* en exhibición, y no mostró interés en su llegada. Seguía fumando, o más exactamente, acicalaba sus dedos con el cigarro, mientras precisaba con sus dos empleados pormenores sin importancia. El chofer se quedó unos segundos en la sala y después pasó a la otra pieza, pero volvió enseguida con un trago de ron. Tomó asiento junto a la Cupletista y sólo entonces lo advirtió: la alemana mostraba el blúmer con todo propósito. La observó en aquella indiferencia simulada y se sintió molesto por lo que consideraba cuando menos ridículo: atreverse a coquetear con un hombre renegado. La alemana comprendió lo que le sucedía y ello la divirtió. Terminó su cigarro y se inclinó para echarlo en un cenicero al lado del sofá, pero entonces vio que Halid se ponía de pie y le hacía una seña. Lo siguió hasta la puerta. El chofer seguía enfadado.

—¿Te vas? —preguntó ella indiferente.

—Bota ese cigarro —dijo Halid en respuesta—, que te vas a quemar los dedos.

—Ah —dijo ella.

Halid iba a detenerse, pero cambió de idea. Se apuró rumbo al Chevrolet y abrió la puerta. Antes de montar sentenció:

—La que le enseña el blúmer a un hombre extraño es una puta, pero la que se lo enseña a un ganso es puta y tortillera al mismo tiempo.

A la Cupletista y a la Bella las desconcertaba la disciplina. Era al menos algo que repetían con cierto dejo de cinismo, pero ver a Halid encelarse por la impudicia de la alemana y sus muslos al aire las volvió un poco más temerarias. Se recordaron una a la otra que no siempre trabajarían por obligación, con aquella pinta de jornaleras cautivas. Aborrecían —y en eso ya no eran cínicas— su dependencia de la alemana, el cumplir órdenes de alguien a quien nunca pensaron en conocer. Pero, sobre todo, aborrecían su hipócrita expresión de duquesa y su boca de pocos labios, afirmaban medio en broma, medio en serio.

—No resisto a una mujer sin labios —dijo la Cupletista y escupió por sobre el hombro—, las mujeres así no tienen clase ni como reinas ni como putas.

—Intentaremos —se dijeron un día— convencer al chofer para joderla. Para vender por la izquierda: de cada tres robos, le llevamos dos y al otro le damos camino solas.

La cuestión, razonaron más calmadas, era declararle a Halid que pensaban engañar a su amiga. Ocultárselo a él no les parecía posible aún, pues, de otra manera, ¿con quién contarían para trasladarse por toda La Habana? Sin mencionar lo estimulante que sería soliviantarle al chofer, a quien ella consideraba de toda confianza. Tendrían que pagarle, por supuesto; hacerle un lugarcito en el botín, calentarle los dedos con unos billetes de más.

Discutieron el asunto. Sopesaron las ventajas del hombre y aquello que hubiera podido hacerlo resistirse. ¿Era la alemana lo que se dice su amiga? De alguna forma lo era, o por lo menos le mostraba una deferencia a la cual no la obligaban las puras transacciones lucrativas, admitieron. Eran buenas observadoras y, sin embargo, por esa misma razón atisbaban en el chofer una paradoja: a veces parecía honrar su larga relación con la alemana, pero en otras ocasiones era propenso a dejar al descubierto su pinta de avaricioso. Verlo enfadarse con ella a causa de su flirteo con la Cupletista las ayudó a correr el riesgo.

Comenzaron hablándose a sí mismas, a nadie, a la radio del auto una madrugada en que iban de caza; a la noche afuera, a Dios, al mar cercano, al futuro, a la historia, al Chevrolet de Halid, en un monólogo en que explicaban que la ética del ladrón es circular: jamás se aleja demasiado de la órbita propia.

—Porque el que corre los riesgos merece la mejor parte.

—Porque el frío de estas noches no se paga ni con todos los perros del planeta.

—Porque aquel que se queda a la sombra, no valora nunca el esfuerzo de los otros.

—Para no recordar la posibilidad de que nos agarren los dueños de algún perro o un animal roñoso.

—O la policía.

—A ver tú, Halid, sincérate: ¿con cuánto sales en esta jugada?

Pero el chofer se hacía del rogar. Silbaba al volante como si no entendiera la propuesta, como si le hablaran en arameo, como si no fuera incitante la idea de corrérsele a su empleadora.

Gracias a Dios, no amenazó con delatarlas.

Tampoco era que estuviera sorprendido; más bien hallaba lógica en el paso de sus colegas.

Ellas comenzaban a impacientarse, a sentirse inseguras, a decirse que lo mejor hubiese sido no proponerle nada, no contar con él, cuando lo vieron representar un titubeo entrecortado, arrítmico, tratando de que le precisaran detalles, de que le aseguraran una discreción a prueba de cualquier imprevisto. Entonces se animaron y arreciaron en sus razones.

—Tú verás como todos ganamos, y a fin de cuentas, la alemana tendrá su dinero, aquí no se habla de sacarla de la fiesta.

El chofer ladeaba la cabeza y sonreía. Aseguró que nadie conocía a la alemana como él, que nadie podía suponer de lo que era capaz aquella señora. Pero ya estaba a medio camino de aceptar. Comenzaría a ceder poco a poco, mostrándose en contradicción consigo mismo, suspirando filosóficamente, para enseguida comentar que vivir no era una ocupación sin riesgos, que uno a veces no sabe lo que emprenderá hasta el último minuto, que no hacerse el bien uno mismo es un pecado más grande que no hacérselo a los otros. Durante los viajes siguientes admitió conocer a dos o tres compradores.

—Gente que a su vez revende —explicó muy serio— y por eso compra barato.

La Bella y la Cupletista se miraron. Una hizo un gesto de disconformidad. La otra de impaciencia.

—Pero si a ustedes no les apura llegar a millonarias... —agregó el chofer con sorna.

—¿Qué cosa es barato en este giro, Halid? —preguntó entonces la Cupletista.

—No tanto que se vea la miseria de quien vende —se pavoneó el chofer.

—Bueno —dijo la Bella Repatriada.

—Andando —dijo la otra.

—Andando —repitió el chofer, sentencioso—, que el trabajo mantiene en forma al cuerpo. Hoy mismo nos desviamos hacia la casa de un perrero en la calle Aguiar.

Las amigas aplaudieron con un alborozo premeditado. El chofer presionó el acelerador y el Chevrolet tomó impulso, a despecho de los chirridos de todo su maderamen.

—Eso sí —añadió Halid cuando todo parecía claro—, me reservo el derecho de hacerles una que otra visita a ustedes.

Ellas fingieron no entender. En el silencio que orquestaron tras la proposición, el chofer volvió hacia atrás sus ojos vacunos y remató:

—No se me hagan las bobas. Ni se extrañen de que a mí también me guste la carne de ave.

XIV

“Estoy de acuerdo con Roland Barthes.

”No estoy de acuerdo con Roland Barthes.

”Para que un libro se *cumpla* —alguien querrá perdonarme esa palabra obvia—, autor e historia tienen que vibrar juntos en una milésima del tiempo. Después, cada cual retornará a lo suyo, cada uno seguirá su camino; después el autor puede negar su obra o la obra a su autor; pueden comportarse ambos como si jamás hubiesen tenido una coincidencia, pero en realidad la han tenido. Ocurrió en un segundo astronómico, pero ocurrió. En ese instante el autor fluye. La obra refluye y entonces colisionan. El autor va cuando la obra vuelve. La obra es siempre lo que vuelve. El autor es siempre lo que va. El autor va a descubrir y la obra viene para que la descubran, para que la dejen ser en toda su irradiación. El choque los transforma a ambos, los deforma más bien, les infunde una rivalidad que los sobrevive. En términos —digamos— prácticos, mientras más intensa es esa rivalidad, más puede perdurar la obra.

”El autor es el obstáculo más grande de una obra, su peligro principal. Pero es un peligro resistente, y en su discordancia con ella, la dota y se dota por una vez de distinción.

"Estoy de acuerdo con Roland Barthes.

"No estoy de acuerdo con Roland Barthes.

"La mujer que bebe hacia el fondo del bar continúa indiferente a todo lo que la rodea. Con indiferencia eleva su vaso de ron, como si se le hubieran olvidado el tiempo y La Habana, como si fuera posible en La Habana olvidar el presente. Sé que de un momento a otro puede ponerse en movimiento. Echará a andar sin que yo me le haya acercado, y entonces es probable que no ingrese a la historia que me niego a escribir (otros asegurarán que ya es parte de la historia, que ya hemos chocado ella y yo, que si no imagino que se levanta y echa a andar, jamás conseguiría hacerlo, pero tendrían que probarlo). En realidad, no me gustan las historias contadas. Quien confecciona símbolos sólo huye hacia su soledad. Las historias contadas son lo que uno deja camino a sí mismo; no lo que trae de sí.

"Si quisiera contar una historia, lo haría de un tirón, sin apenas razonarla. Tres hechos, tres palabras: *Veni, vidi, vinci*.

"Y basta.

"Aceptaría firmar una historia como la de Phileas Fogg y Picaporte: pura suma de secuencias. Viajar y elevarse sobre las amenazas de un contrario, correr, volar, no retrasarse y, en el fondo de todo eso, una explosión de significados. Sin esfuerzo aparente, sin malabares: significados a ras del suelo.

"Pero me detiene una superstición: ninguna historia es como se cuenta. O —para corregirme—, como al final se ve contada. La fricción con el autor conlleva sus desgastes. De esa apuesta, de esa batalla, a veces sale maltrecho el autor; otras veces, la historia, aunque nadie lo sospeche. Pues escribir es siempre intervenir en aquello que, de otro modo, jamás será una historia. Y no te olvides de un detalle: No sólo el autor es capaz de negar tres veces a sus libros; también aquéllos, por vías que no debes imaginar demasiado intangibles, pueden negarlo a él.

"Entre la mujer que bebe en silencio y yo hay, en efecto, algunas contradicciones. Ella —al parecer— no quiere que la molesten y yo me desvivo por saber quién es, qué hace tan sola en el bar de mi amigo, desde cuándo viene aquí, escapando de qué cosa, de quiénes.

"Es posible que en su realidad —la cual se encuentra todavía en una especie de limbo, es decir, que está y no está dentro de la historia—, esa mujer haya razonado sobre el sentido de su vida. Probablemente difiera de la Cupletista y no le importe en absoluto que alguien se ocupe de su trascendencia. Pero es posible igualmente que ese estar acodada en la barra sea su trascendencia mayor, lo recoja o no cualquier libro. En propiedad, ella no debe haber soñado con estar en libros. También quienes entran a los libros sufren una transformación, se arriesgan a una resonancia que los sobrepasa. Un personaje no es sólo una ristra de palabras; es igualmente, y por más que lo pongamos en duda, un fragmento de energía. Todo personaje es una vibración y sus lazos con aquel que lo ha creado exceden los formalismos.

"De modo que una mujer en un bar de la calle Monte no es sólo un atajo del autor. No debería ser sólo una de mis fantasías, propulsada por algunos temores y por el desprecio de Anazabel. Prueba a no mezclarte con esta interrogante: si el bar que está en Monte está por unos segundos en mis libros, ¿el que entra a ese bar entra a mi novela? Lo sepa o no, ¿hace vida de personaje?

"Yo no soy el autor de la historia de mis amigos.

"Confieso que no tengo madera para autor, soy menos frío, menos avisado —'Tú acostumbras a involucrarte', precisan la Cupletista y la Bella con ese dejo de quienes se saben superiores, pragmáticos—, y, para ser sincero, no creo vibrar al compás de nada.

"Estoy de acuerdo con Roland Barthes / no estoy de acuerdo con Roland Barthes."

XV

Muchas veces, Rítzar pensó en su condición de escritor a destajo y detenerse a cavilar sobre ella lo empujaba a unas cuantas disyuntivas. Si era verdad que por cada una de las palabras rasgueadas se le obsequiaba con dinero, también lo era el hecho de encontrarse a la sombra de sus clientes, la circunstancia quizás vergonzosa de nunca dar la cara, de insuflar por 30 monedas su talento a la vanidad de otros.

Medio en broma, medio en serio, probaba a consolarse con ecuaciones de tipo cultural, elevándose a un razonamiento adensado por sucesivas lecturas. Por ejemplo, se decía, en cualquier caso, que él pasaba por una deformación del destino de Fernando Pessoa. Pues, mirado sin prejuicios, era Pessoa el más grande y el mejor de todos los *ghostwriters* que en el mundo habían sido. ¿Qué otra cosa se planteó el genio portugués que no fuera sustentar con el suyo el talento de otros? Que fueran sencillamente nombres en lugar de individuos no tenía importancia. Allí estaban sus biografías, exactas, sin mancha de imprecisiones. Allí estaba, para colmo, la personalidad de cada uno de sus heterónimos, en libros en los que cada uno sufría la literatura individualmente: Ricardo Reis era Ricardo Reis y discutirlo resultaba un acto licencioso, pues ya se trataba de un destino, no de una invención. Y Alberto Caeiro era Alberto Caeiro, y Álvaro de Campos era Álvaro de Campos. Cada uno como a merced de su estilo, no del estilo pueril que siendo apenas táctica deriva en costumbre, sino del que se profesa aun cuando no se escribe. Se sabe que Pessoa se justificaba con una necesidad de transferirse, de atomizar su personalidad para llegar a ser nada. Algún contemporáneo lo vio remachar sobre la idea de que escribir es olvidar, de que se escribe para deshacerse de las cosas igual que —dicen que dijo— se deshace el pordiosero que se rasca la cabeza de la caspa ("Si las cosas fueran diferentes, serían diferentes. Esto es todo", dicen que dijo). Pero Rítzar estaba convencido de que el único pensamiento invariable en los 25 426 manuscritos que dejó en su glorioso baúl Pessoa, es el de consumirse en la obra, el de transformarse, no en individuos, sino en letras, en sucesivos libros que agotaron a quien se atrevió a escribirlos.

.Quien se busca un seudónimo —Stendhal, George Sand, el imperioso Maxim Gorki— no lo hace para justificar un recato que en realidad no puede existir, sino para hacerse propaganda; se emboza en un capuz que, de todos modos, lo inclina a sentirse superior: es el que se ve a la legua, el que se anuncia con pífanos. Quien, como Pessoa, inventa sucesivos destinos, los crea, no los inventa, y sabe de antemano que ha de cederles su ánimo, su talento y, para terminar, su vida. Probablemente y según oscuras leyes del tiempo y los astros, Ricardo Reis, Álvaro de Campos y Alberto Caeiro hubieran existido de cualquier manera; quizás fuera un precepto de Dios, pero sin el patrocinio de Fernando Pessoa, toda su vida no hubieran resultado más que unos pobres diablos sin agudeza y sin ritmo. Por su parte, quien escribe en la clandestinidad —y esta idea no me pertenece, es verdaderamente la que más inquieta al propio Rítzar— experimenta una especie de malicia que acaba volviéndose contra él mismo. El masoquismo de los *ghostwriters* puede parecer etéreo, pero casi nunca es tan despreocupado como alargar la mano y sentir el frío incitante de las monedas.

Sin embargo, con sólo imaginar que su nombre aparecería en la cubierta de un libro, Rítzar se hubiese sentido inseguro, y hay razones para suponer que la escritura no se le hubiera dado con la facilidad de las tantas veces en que se creyó protegido por la venta de su estilo. Así decía: "Yo vendo estilo como otros venden baratijas, y otros venden drogas, y otros más, vegetales". No estés muy seguro de que la condición que por voluntad se impuso no lo asediaba con algunas supersticiones deshonrosas, aunque otros momentos hubo en los cuales, con orgullosa resignación, contó que, de ver la cara de un cliente, ya podía imaginar el estilo que le propondría. Ésa era su contradicción. Y aunque la mayoría de quienes lo contrataban, naturalmente lo ignoraban todo respecto a la escritura, no era extraño escucharles que se reconocían en la letra por la cual acababan de entregar su dinero, que les daba la impresión de ser los autores verdaderos de lo que apenas alcanzaban a firmar. "No pude haberlo hecho mejor yo mismo", exclamaban ridículamente, olvidando que por eso pagaban, por no ser capaces de organizar los pensamientos propios.

¿Y por qué es tan atractivo oírse llamar *escritor*? ¿Por qué tantos falsos autores tientan al prestigio desde sus falsos libros, los firmen o no? ¿Has visto cómo levantan libros con base en excusas, cómo se creen protagonistas de algo, llamados repentinamente por Dios para dar fe de las cosas? Vuelven de un viaje y cometen un libro; se vieron atrapados en una artimaña inusual y cometen otro. ¿Has visto cómo se derrumban los motivos de tanto libro yermo, sin que sea preciso ni siquiera hojearlos? Observa a fondo lo que te ofrecen las librerías. Tienes muchas maneras de comprender que los verdaderos escritores son aquellos que escriben porque no les queda otro remedio, porque no escribir los coloca ante un peligro que, para ser sinceros, no cesa ni cuando escriben.

Rítzar, por su parte, prefería no ser llamado *escritor*. Sólo una vez un cliente, entregándole el dinero, se lo dijo: "Estamos a mano, *escritor*", pero en su tono estaba ya la certeza de que al remunerarlo se llevaba consigo aquella condición. Por eso se limitaba a aceptar el dinero y trataba de olvidar la parte incómoda de aquel comercio. De vez en cuando murmuraba con cinismo: "Fernando Pessoa escribe para olvidar y yo olvido para escribir; él olvida, yo me borro". Sólo que borrarse era siempre algo por acaecer, algo sin una clara materialización y, en resumidas cuentas, algo de lo que él tampoco dudaría en abjurar.

—Speek sigue creciendo —contó un día Anazabel—. Ya es un perro de clase, va desarrollando su orgullo.

—Todavía crecerá un buen tiempo —dijo Rítzar, calculando la escasa edad del cachorro—, aunque un rottweiler termina siendo torpe; torpe y cariñoso, hay que admitirlo.

—Yo lo adoro —aseguró Anazabel.

—¿Y a mí? —preguntó él, atrayéndola.

—A ti también —ronroneó ella y Rítzar se extrañó de encontrarla tan dócil aquel día, incluso, cariñosa.

Comenzó a acariciarla. Se aproximó más a ella y la besó, haciéndolo como siempre casi todo él, pero satisfecho de aquella pasividad con que Anazabel se dejaba recorrer la boca. Cuando menos lo esperaba, ella se apartó. Había un ardid en su mirada. Más bien, lujuria, se corrigió Rítzar, antes de escucharla:

—¿Te gustaría saber cómo fue la primera vez que engañé a mi marido?

No pudo responder enseguida. Experimentaba una sensación indeterminada, mezcla de celos y sensualidad, pero seguía sintiéndose turbado.

—¿Es que no imaginabas que yo fuera capaz de alguno de esos lances? —insistió ella, y tenía en la voz como una intención de divertirse.

No se había detenido en aquella posibilidad. Ahora que lo pensaba, no tenía razones para dudarlo, pero juzgaba que no podría con el lado oscuro de Anazabel. Como seguía en silencio, la joven decidió continuar.

—En propiedad, lo hice con dos al mismo tiempo.

Rítzar la miró, sin hablar todavía. Le pareció que ella podía estar burlándose, pero no se animaba a ser indiferente, comprensivo o celoso. Aguardó, sin saber a qué. Anazabel explicó:

—Había en la escuela de Letras un profesor circunspecto, metódico, según creíamos, y nada viejo; a lo sumo, diez años mayor que los estudiantes de quinto.

"Ah, mira por dónde ataca", pensó Rítzar.

—Llegaba al aula con una agenda negra en la que traía anotaciones para la clase, y era tal su apego a aquel libro de tapas brillantes, que no recuerdo una sola ocasión en que apareciera sin él. Lo sujetaba al entrar con dedos de aristócrata, como lo hubiese hecho el conde de Lampedusa, con una galanura de la mano que no abunda entre quienes, como él, no son dados al amaneramiento. Los estudiantes, que no perdíamos oportunidad para bromear a escondidas, lo habíamos bautizado como MM: *Mister* Memo. Había entre él y nosotros una relación ambigua. Nos mantenía a raya, pero no tanto; quiero decir que se hacía temer, aunque de una forma simpática. Bien mirado el asunto, se empeñaba en que mostráramos respeto por el conocimiento antes que por él mismo. Él era solamente un mediador, insinuaba, pero nunca renunció a usar esos poderes. Por casualidades de una asignatura me quedé sola con MM un mediodía, cuando los demás se fueron hacia el refectorio. Me parecía importante consultarlo sobre algunos detalles de una monografía, aunque quién quita que ya a esas alturas él supiera lo que deseaba de mí.

Sobrevino una pausa. Anazabel se iba sintiendo más cómoda a medida que contaba. Prosiguió:

—Pasado un rato, efectivamente, comenzó a rondarme la idea de que, entre una pregunta y otra, MM me observaba con un dejo de impaciencia, aunque siempre volvía a lo suyo: el arte africano, lo recuerdo bien. Pero ya hacia el final de aquel encuentro, cuando hizo una especie de reverencia para asegurar que fue África lo que cambió la vida de Pablo Picasso, había una rara intención en su voz. "Picasso casi se vuelve loco el día que tropezó con aquellas máscaras", decía *Mister* Memo con un regodeo algo tortuoso, como si la palabra *loco* tuviese en aquel momento varias posibilidades de expansión.

Rítzar pensó en franquear aquel trance a como diera lugar. Le propondría que salieran un rato, fingiría recordar de golpe alguna obligación afuera, pero el caso era que se sabía ridículo en el papel de confesor de Anazabel. No se le pasaba por alto que lo que ella dijera, en lo sucesivo iba a atañerle de cualquier manera, y siempre por el lado más embarazoso: el de los detalles. Sin embargo, no se decidió a interrumpirla.

—En realidad —proseguía ella— MM actuaba como si no le importara demorarse, ni su hambre ni la mía que, después de una sesión de conferencias, no eran poca cosa. A su lado yo no me sentía apremiada, pero no hubiese dudado en interrumpir la consulta e irme a almorzar. Un hecho sin mucha importancia (lo recuerdo bien) fue lo que enrumbó las cosas. Para precisar unos datos, MM tomó la agenda, pero la hojeaba tan rápido que saltó al suelo una especie de separador empastado, con unos aforismos a pluma. Como había caído de mi lado, lo levanté y al hacerlo reparé de lleno en el texto. Quiero decir que comencé a leer el marcador sin sospechar que lo que contenía era un extracto del *Kamasutra*, de un capítulo en que se explica que el amor consta de diez etapas. Si no recuerdo mal, son las siguientes:

1. Una mirada agradable.
2. La dedicación de la mente.
3. El nacimiento de la intención.
4. La falta de sueño.
5. El adelgazamiento.
6. El desinterés por cuanto nos rodea.
7. La pérdida de todo pudor.
8. La locura.
9. El desfallecimiento.
10. La muerte.

"Esa tarde miré a MM por vez primera a los ojos. Me sabía autorizada por aquel marcador que sostuve en mis manos para enterarme de que mi profesor era más terrenal de lo que hasta entonces nos mostrara. Descubrí que sus ojos eran de un miel variable y que su mirada también se había turbado a causa de la irrupción del separador.

"Le agradecí el tiempo que me había dedicado y me dispuse a salir, pero él me detuvo. No fue lo que me dijo, sino la forma en que volvió a mirarme. ¿Sabías que quien sepa mirar con arte a una mujer ya tiene ganada la primera batalla de la guerra? ¿Que una mirada a borbotones, así como aquélla, no se olvida con facilidad? Más si la mujer se siente a la deriva, como me sucedía entonces."

Rítzar decidió resignarse. Comprendió que ya no habría excusas para suspender las confesiones de Anazabel, y decidió afrontarlas con una soltura que en realidad no lo acompañaba. Por otra parte, ella empleaba un tono indulgente con el cual consiguió irlo calmando, pues le hacía ver que no era para avergonzarlo que lo había invitado a escucharla. Su voz, de por sí acompasada, adquiría un acento afligido cuando se aproximaba a los momentos más delicados del relato, y ella parecía excusarse por tanta franqueza.

—Prorrogamos, en fin, las consultas, mientras nos fue posible justificarlo ante nosotros mismos —puntualizó—. Entonces me pidió un beso. Pero, ¿te aburro?

—No —dijo Rítzar.

—Pues tú verás, ahora viene lo más interesante —dijo Anazabel y continuó—. Me negué con fervor, con obstinación, con una sangre fría que no me recordaba de nunca antes; pero él, con semejante obstinación, insistía. Dondequiera me dejaba un mensaje, todos penetrantes, alocados, levitando sobre una lujuria sorpresivamente patética. Uno, llegué a aprenderlo de memoria, terminaba así: "En fin, Anazabel, que no le veo salida a este hermoso laberinto. Siendo elegante contigo misma, ¿tendrás tacto para serlo conmigo? ¿Habrá otra forma, digamos, más sensible de mantenerme a raya que tus toscos juegos a despecharme? Quiero besarte. Probablemente esté tan loco que me conforme con eso".

Se detuvo para observar a Rítzar. Su expresión todavía esquiva la animó.

—Volvimos a conversar, pues a partir de ese mensaje me pareció ridículo, *démodé*, seguir con mi negativa. "Será sólo un beso", insistió en sobornarme MM. Lo miré desafiante. "¿Y tú crees que yo me conformaría con sólo un beso?", me atreví a decirle por fin. Entonces fue él quien me observó ilusionado. Alargó hacia mí una mano para rozarme un hombro, y yo pude sentir su calor en mi piel, y me dije que no me hubiera sentido más deseada si su mano se hubiese posado en mi mejilla o en el borde de mis pechos. Retiró la mano y titubeó. Pero tuvo valor para pedirme que fuéramos al apartamento de un amigo, pobre *Mister* Memo, que ni casa adecuada tenía.

"Ya a aquellas alturas me incomodaba mi propio recato y creo que algo me latía en la sangre.

"Fui con él.

"Su amigo nos recibió con mucha cortesía, pero enseguida comprendió que debía marcharse, perderse de allí por un rato, para que mi profesor y yo nos prodigáramos lo que nos debíamos. La casa no era elegante, a pesar de que el dueño la había poblado de difíciles objetos de arte, de libracos de lomo pulido, de candelabros, de simplistas reproducciones de pinturas famosas, de botellas con flores resecas, de pequeñas alfombras ante los sillones. Pero yo me dije que estaba bien, que sólo me importaba echarme a morir, porfiada y ardiente, debajo del hombre que me condujo allí.

"Cuando el amigo se perdió en las escaleras, MM se lanzó sobre mí. 'Cierra la puerta', le recordé, llevando la mano a su entrepierna. Comencé a acariciarlo con el dorso, presionando como en juego, con pensada fuerza, mientras me dejaba besar. Sentirlo crecer me llenó de seguridad y tiré del pantalón. Pocas veces me había visto a la ofensiva, trazando yo las vueltas de aquel camino hacia el desvarío, hacia una culpa que más tarde tendría que ronronear yo sola, con secreta lascivia. Su animal era demasiado para la cesta de mi mano, y me hizo sentir ridícula con tanta ropa encima. Me abría la blusa cuando lo oí suspirar y eso me hizo apurarme, desechar toda elegancia y arrancarme las piezas que restaban sobre mí.

"De repente me dijo: 'Orínate', y me paralizó. Una hora antes, por ejemplo, aquello me hubiera causado asombro, embarazo, enojo, pero en ese momento resultó como una iluminación. Fue más preciso al insistir: 'Méate', y me hizo gemir, mostrarle mis pechos contraídos y pujar por orinarme allí, tal como me solicitaba. Después me explicó que el ruido torvo de la orina le recordó la máscara."

—La máscara...

—Sí, MM, enardecido por mi imagen desnuda, desafiándolo con mi chorro de plata, quiso complicar nuestro rito, cruzarlo con algunas metáforas sobre quiénes somos, incluso allí, en el fondo de los actos íntimos. Fue así que me llevó al cuarto y me colocó sobre la cama, mojada y temblorosa, susurrándole que no tardara en perderse por mis entrañas, necesitándolo.

"Lo sentí abrir el cajón de un armario y extrajo una máscara que supuse auténtica. No me importó lo que haría, pues pensaba más en mí que en él, me urgía ser apuñalada, y debatirme, y quizás ponerme a gritar a despecho de mí misma y de aquel barrio de vecinos en las calles, gente que tal vez conociera la costumbre del profesor de conducir mujeres allí.

"La máscara representaba a un antílope de expresión avivada, fogosa. Lo increíble fue que cuando MM se la colocó, se convirtió en otro, en alguien que, supuse luego, sin la máscara no hubiese estado a su alcance. Con sorpresa, con alegría, con temor a que no fuera cierto, lo sentí sembrarse en mí y ondulé gobernada por su miembro, y quise ser yo dos veces, y sentí que se me abrían cielo y tierra, e imaginé que caíamos hacia un infinito, caíamos uno en el otro y aquel fuego en mi centro me obligaba a desear la vida y la muerte, el sol y la penumbra, la palabra y el silencio. El profesor / el antílope no me dejaba entender si hacíamos el amor o si hacíamos la guerra, pero me daba igual, aunque un arrojo inexplicable me inclinaba a preferir lo segundo. Allí, frente a mí, sobre mí, dentro de mí, llegó a ser un *ghostlover*, un *ghostantelope*, un *ghostfucker*, y se lo agradecí a la máscara. Cuando finalmente le susurré que lo quería todo, le expliqué sílaba a sílaba que necesitaba su simiente, le grité que ya, que sobrevenía el orgasmo, se despojó de la máscara y volví a ver su cara. Parecía feliz mientras me bombardeaba, jadeante y contraído, como quien se va tras de sí mismo hacia un remolino sin límites. Lo dejé observarme por unos segundos más, recostada sin pudor, todavía con las piernas abiertas, y le dije que, como debía presentir, aquel había sido un encuentro excepcional, único, sin paralelo. Me miró complacido, pero entonces precisé: 'Quiero decir que no habrá otros'. *Mister* Memo trató de defenderse, pero no le di oportunidad. Mientras nos vestíamos le hice ver que, de insistir en acostarse otra vez conmigo, sólo conseguiría vulgarizar lo que de otro modo seguiría siendo irrepetible."

Anazabel se había detenido. Rítzar dio por terminado el relato y se puso de pie, se llevó una mano al bolsillo del pantalón y se quedó mirándola. Mientras se decidía a hacer algo, notó que tenía la boca reseca y admitió que al menos contaba con una razón para desaparecer unos instantes.

—Voy por agua —dijo—, ¿no quieres un poco? —y se volvía sin esperar una respuesta, cuando la oyó decir:

—En el curso de apenas dos años ocurrió lo que debió y también lo que no debió pasar.

Entonces regresó sobre sus pasos y se quedó de pie frente a ella, tratando de no parecerse a la pésima idea que se había formado sobre sí mismo aquel día.

—Para evitarte un *suspense* ridículo —explicaba Anazabel—, diré que me cuidé de verme de nuevo con MM y te confieso que lo evadía con cierta perfidia. No fui grosera, pero sí engreída, y más de una vez le hice notar que me placía saber que aún me observaba. Cuando salí de la escuela de Letras, pasó como un año sin que me lo encontrara, y en realidad no me lo encontré: fui a buscarlo. Pero ya era otro el motivo. Fue una amiga de los tiempos en que nos burlábamos de su agenda de tapas negras quien me dio la noticia. "¿Ya supiste lo de *Mister* Memo?", me dijo casi a ras del saludo una noche a la salida del teatro, y yo, que iba con mi esposo, debí disimular. Mi amiga me explicó que MM había dejado la universidad meses después de nuestra graduación y que se había convertido en un vagabundo, todavía con su agenda negra, que aparecía en la avenida G por el rumbo de los hospitales, y a veces se paraba a dialogar con la estatua erguida de José Miguel Gómez. "*Mister* Memo siempre estuvo loco", insistía mi amiga. "Lo que pasa es que el saberse capaz de dar clases le retardó la hecatombe". Una discreta pesquisa entre antiguos camaradas me confirmó que sí, que MM lidiaba con ciertas crisis de ansiedad, las cuales lo obligaban a ausentarse por breves periodos. Sólo que en el semestre que trabajó con nuestro grupo, calculé al enterarme, no padeció aquellas desorientaciones. Para no cansarte: me desvié hacia G cada vez que tuve la oportunidad y lo vi, en efecto, un día en el verano, de tarde, como a las 6, cuando todavía el calor no daba señales de aflojar, y me quedé tranquila mientras MM avanzaba por la calle 27 con su agenda bajo el brazo. No era un loco sucio. Llevaba una camisa de mangas largas y caminaba con apariencia aristocrática, pero aquella esbeltez tenía la marca propia de lo nefasto. Pensé en acercármele, pero tuve miedo. Para serte sincera, pensé en cómo sería MM en ese momento encima de mí y la idea que me pude hacer no resultaba desastrosa. Pero me alejé de allí. No quise ver cómo se humillaba a discutir con la estatua de un farsante.

Anazabel suspiró. Después, como Rítzar seguía interrogándola con los ojos, dijo:

—Ésta es toda la historia.

Rítzar no sabía qué apuntar. Sonreía, él también raramente, para esconder su falta de palabras. Anazabel lo sorprendió.

—Mira, estoy hasta nerviosa —y le apretó el brazo para hacerlo sentir el frío de la mano.

Después, atrevida, susurró:

—Yo creo que hasta mojada estoy.

Lo miraba con una súplica en el rostro y él tuvo la suerte de darse cuenta de que aquella era la salida más extravagante y al mismo tiempo la mejor. Anazabel lo atrajo y se hizo besar; después, como si lo pensara mejor, se quitó la blusa.

—¿Te gustan? —preguntó.

—Son tetas de grandes pezones —comentó Rítzar.

—Sí —admitió Anazabel—, y eso es lo que me define. Si los tuviera más pequeños, me los besaría una mujer, no un hombre.

Se sacó el blúmer por debajo de la saya. Parecía que buscaba olvidarse de todo lo que un rato antes contaba con tanta exactitud. Tendida de frente se le ofreció con una extraña parquedad y, cuando lo vio venir ansioso, abrió fuerte las piernas y lo obligó a mirarla. Mientras lo sentía entrar y salir, se fue ahogando en una pasión en ralentí, palpada y sufrida, acuciosa.

Rítzar, quien nunca tuvo una máscara a su alcance, se creyó también otro, alguien devuelto a una condición primera; algo así como un macho restituido, un pobre actor que por unos minutos recibe la gracia de un receso en la escena. Pero después todo resultó más embarazoso: fue como si camino a la eyaculación hubiera ido tomando conciencia de que no estuvo a la altura de aquel MM, el profesor con cara de antílope.

XVI

Vender por la izquierda —puede resultar comprensible— significaba en última instancia prescindir también del chofer. Ser independientes a las buenas o a las malas, según insistían en decir la Cupletista y la Bella, olvidando que nadie, sino ellas mismas había propiciado la entrada a sus vidas de la alemana.

Por lo pronto, se atrevían a tentar al hado, a ir esbozando sus propias relaciones, mientras eran capaces de apoderarse, además, de algo de la mercancía. Conocían de una mujer que deseaba un cachorro y se aprestaban a burlar a Halid, tomándole la delantera.

Despertaron temprano. La Bella dijo que se prepararía un baño, que se daría un champú. La Cupletista la vio soltarse el pelo escaso y la obsequió con una burla cálida.

—En sus tiempos, esos rizos deben haber sido un escándalo en Placetas —dijo y gesticuló.

La Bella la observaba sin dejar de agitarse el pelo, como si pretendiera deshacerse del polvo de una semana. Era uno de sus antiguos placeres, ese acariciarse el cabello con un descuido estudiado, para después darse el champú y volvérselo a acariciar. Sin levantar la vista dijo:

—En sus tiempos y en éstos, mima. ¿O no has visto a Halid rendirle culto a mi crin hirsuta?

—Yo creo que te mira más las nalgas que el pelo —observó la Cupletista.

—Tan vulgar... —dijo la Bella.

—¿Te gusta gustarle a Halid?

—Me gusta gustar —exhaló la Bella—. Ese Halid es un necio.

Y declamó algunas frases sobre su pelo rojo, antes rojo de verdad, un don del cielo, y ahora rojo de todas formas gracias a la cosmética, pero más escaso, tristemente. Después fue a sentarse en la punta del sofá, con las piernas abiertas de través, separados los talones, más juntas las rodillas, como si presionara sobre un cuerpo intangible.

—Ponme el agua, anda —le pidió a su amiga—. Déjamela bien caliente.

Y maniobró con un arco imaginario, mientras balanceaba el cuerpo con los ojos entrecerrados. La Cupletista la miraba divertida. Celebró su adicción a divagar, el buen humor que prodigaba. "Esto es lo que debí haber sido yo", le oyó decir, "una gran chelista". Y la vio, por unos segundos más, ejecutar un movimiento de vaivén con la mano derecha, un oscilar en busca de la armonía y fingir una concentración que le serenaba el rostro, como si fuera cierto que al cerrar los ojos y elevar las puntas de los pies, participara de la consumación de una pieza.

—Yo hubiera dado mi reino por un chelo —enfatizaba la Bella.

—¿Qué reino? —se divertía la Cupletista.

—Una idea es un reino —dijo la Bella, ingenuamente bíblica—; yo tuve tiempos en que me creía reina.

Y se esforzó por describir un cuartucho al fondo de su casa, allá en Placetas, donde iban a parar las cosas inservibles. Se enfrascaba en detalles que no le hubieran proporcionado más autenticidad a su relato, pero que a ella le parecían imprescindibles. Habló de una casa de puntal altísimo, fresca a cualquier hora del año, con ventanas a todo lo alto de la pared frontal y rejas de hierro fundido, con una sala de paredes de tabloncillo azul y cenefa de cálidos arabescos, y una terraza al fondo que sus padres usaban a modo de comedor, y una cocina con meseta de azulejos hasta el piso, sobre la cual una salpicadura de cemento había construido un bajorrelieve en el que una rana empuñaba una pistola. En la cocina había a su vez dos ventanas, amplia la primera, con una hoja que viajaba arriba y abajo por listones que hacían las veces de correderas, y la otra pequeña y apretada contra el techo, modesto tragaluz por el que entraba y salía la gata barcina de la casa. La cocina desembocaba en un baño de piso amarillo y un lavamanos fabricado en Longport, Inglaterra, bien que lo recordaba la Bella, y detrás del baño estuvo hasta un buen día el cuarto de desahogo. Pero para acceder a él era necesario salir al patio, pues lo habían concebido con entrada independiente. Tal vez su extraña ubicación, o los trastos que iban a parar allí, o el hecho de lindar directamente con la humedad del patio, hizo que en la pieza apareciera con frecuencia algún alacrán, lo que le propició un sobrenombre: el cuartico de los alacranes.

—Yo era un niño púber —contó con triste picardía— y la cogí con encerrarme en aquel cuarto. Un día descubrí un chelo entre las cosas que se amontonaban en un rincón; un chelo en Placetas, ¿te imaginas?, debió haber sido el único. Alguien le había arrancado las cuerdas, así que aquello era más bien un cascarón de chelo, pero a mí me resultó un hallazgo. Era una de esas cosas que están en una casa sin estar, pues nadie las recuerda ni las toma en cuenta para nada. Han sido olvidadas por alguien a quien ni siquiera se le tiene demasiado aprecio, un miembro ingrato de la familia. Pero yo redescubrí el chelo sin cuerdas allí, en el cuartico de los alacranes, y me hice amiga suya. Creí que aquel descubrimiento me haría dichosa y lo traté como a un amuleto. Lo convertí en mi camarada, en un camarada tácito, a quien no hay que explicarle nada. Con su compañía era suficiente. Yo me lo ponía entre las piernas y comenzaba a soñar, deseando que todo lo soñado se me diera más tarde. Después me imaginaba en una orquesta de cámara, tocando a Haydn y a Bach, y de pronto, el cuartico de los alacranes era una salita con su parquet encerado y unas luces que daban realce a la orquesta, y enfrente unas pocas sillas, sólo unas cuantas, para caballeros distinguidos que supieran apreciar la música.

Se puso de pie.

—¿Ya estará mi agua? —dijo y se acercó a la hornilla—. ¿Qué miras? —añadió como si retara a la Cupletista.

—Lo que más me gusta de ti es lo niño que eres todavía —dijo la Cupletista, animada por el matiz levemente patético de la escena.

La Bella se quedó pensando en la frase de su amiga.

—Niño era entonces —y en su voz había una especie de lamentación—, cuando apresaba el chelo entre los muslos y me imaginaba ya con el pelo ensortijado, goteándome por los hombros a medida que ladeaba la cabeza para mejor compaginar con el instrumento. Yo tenía 12 años y pronto me iría a una escuela interna. Me fui, definitivamente, y no lamenté demasiado lo que lamento ahora: que se me haya acabado de golpe la niñez.

Entonces todo era más natural, pensaba yo, y actuaba por embullo y por reflejo. Pero la vida real empieza ahí mismo, cuando a uno lo meten a persona mayor, aunque no sé bien, pues según la ciencia, todos los maricones seguimos siendo como niños.

—¿Por qué niños? —preguntó la Cupletista.

—Es lo que dice Freud —continuó la Bella—, el psicoanalista, el psiquiatra.

—No conozco a Freud —dijo la Cupletista—, pero si es psiquiatra, es loco también.

—Es un psiquiatra famoso. El más famoso de todos. El rey del país de los psiquiatras. Y asegura que ser pájaro es como ser retrasado mental.

—Retraso tendrá él..., imbécil.

—Escribió algo así como que la homosexualidad es una etapa del desarrollo, superada por la heterosexualidad definitiva.

—Demasiado enredo para mi gusto, mima.

—Quiere decir que todos hemos sido hermafroditas, aunque algunos ni cuenta se den. Los que lo seguimos siendo de por vida, nos quedamos en la etapa previa. Somos unos apáticos que nos rendimos a mitad del recorrido. No logramos alcanzar la meta: que nos guste el opuesto. No supimos evolucionar. No somos ambiciosos, nos conformamos con nosotros mismos.

—Eso no es ser apáticos. Es saber lo que es bueno —dijo la Cupletista, pero la Bella no parecía tener el ánimo para bromas.

Añadió, como si nadie la hubiese interrumpido:

—Por inmaduros. Por superficiales. Por maricones. Somos el pasado del hombre nuevo.

Era media tarde cuando por fin lograron irse a la calle. Las señas que tenían de la virtual compradora del cachorro resultaban algo vagas. Vagas también eran sus previsiones para burlar al chofer, pero estaban decididas a correr el riesgo.

La mujer vivía en la calle Lacret —una calle más para autos que para la gente—, a mediación de una bajada que escatimaba a las casas el portal y cualquier intento de sombra. Cuando se acercaban, descubrieron que a la entrada del pasillo había alguien agachado. Al llegar junto al hombre, se percataron de que estaba en realidad tratando de afeitarse allí junto a la acera, a ciegas y como en un acto de penitencia bajo el sol esplendente, y se hacía acompañar de una pequeña caja de ron, de ése que, gracias al envase, pasa por una bebida de gran linaje. Mirando fijo hacia adelante, el hombre se estiraba la piel con una mano y con la otra se pasaba la cuchilla de abajo hacia arriba, con rara aplicación. Tenía la cara florecida de puntos rojos. En la barbilla le corría un poco de sangre, y en aquella posición obstaculizaba el paso. La Bella dudaba en interpelarlo; insistía en dudar, posponiendo de una manera infantil el momento de preguntarle. Pero la Cupletista estaba decidida. Sin dejarse aconsejar por su amiga, dijo:

—¿Usted sabe si ahí vive Yamilé?

El hombre dejó de afeitarse. Tomó la cajita de ron, vació un poco en la mano ahuecada y se frotó el rostro y parte del cuello.

—Allá atrás —dijo, entonces.

—¿Estará ahí? —insistió la Cupletista.

—No sé —dijo el hombre—. No hace más de una hora que me encuentro aquí. Si antes salió o entró alguien por ese pasillo, no lo sé.

La Cupletista lo miró, sin saber qué más decir. El hombre volvió a frotarse y reiteró:

—Hace 15 minutos que me afeito. Si en ese tiempo entró o salió alguien, tampoco sé nada, porque cuando me afeito me voy del mundo. Las cosas me rebotan.

Ellas decidieron seguir adelante, sin otras preguntas. El hombre pareció adivinarles la intención y se hizo a un lado sin incorporarse. Pasaron.

El corredor se perfilaba entre pequeños apartamentos de un lado y un muro del otro. Era más bien una carrilera tosca, roto el pavimento cada dos pasos, amenazado por diminutos estanques. Los apartamentos carecían de ventanas, sólo la puerta pequeña, a la altura de un hombre mediano, y un color impersonal en toda la fachada. En el muro, la humedad había dibujado aprensiones abstractas, ásperos contrastes del color que se interrumpían en algunas zonas ocupadas por breves grafitis.

—"Señor, la jaula se ha vuelto pájaro y ha devorado mis esperanzas" —dijo la Bella.

La Cupletista, que iba delante, se detuvo para tratar de entender la sentencia de su amiga, pero, como descubriera las frases en la pared, sonrió y dijo:

—Dale, dale, deja esas boberías.

—"De cada cual según su capacidad, a cada cual según su tamaño" —dijo la Bella.

Ahora, la Cupletista la miraba con picardía. Le había gustado esta frase. "Pero vamos", insistió.

—"Soy un mozo que gozo jubiloso" —dijo la Bella.

La Cupletista respingó y apretó el paso. Ahora la frase le había infundido un leve despecho y llamó malhumorada a la puerta de Yamilé.

Nadie acudía a los toques.

—"Se vende una máquina de coser con motor" —dijo la Bella.

La Cupletista se volvió, dispuesta a reñir, pero la Bella señaló con la cabeza el cartel sobre la puerta. Aún sonreía cuando apareció Yamilé —alta, rubia platino, 38 (36, quizás), cadenita de oro, mirada diplomática— agitando un frasco de esmalte de uñas.

—¿Tienen prisa? —dijo, y las invitó a pasar— ¿Cuál de las dos cose mejor? —añadió, traviesa.

—¡Ah!... —dijo la Bella—; no, venimos por otra cosa..., por lo del perro.

Tomaron asiento. Era, en efecto, un cuarto pequeño, con un recibidor marcado por una mampara con fantasías chinescas, pero estaba recogido y expelía olor a *sprays* ambientadores. La Bella se quedó impresionada por lo que, a su parecer, era el buen gusto de Yamilé, por su televisor imponente, su sofá de damasco y sus adornos de plástico bruñido.

—Desde fuera no parece que tienes una casa tan linda —confesó.

—Mi casa y yo somos como somos —dijo Yamilé—; el resto es sorpresa.

—Tú debes saber lo tuyo —dijo la Bella.

— "En la ciudad de La Habana, / la perla más refulgente / de Cuba, no hay una gente / más diabla que esta fulana" —dijo Yamilé.

La Bella se rió, porque no sabía de qué otra manera responder a la anfitriona. La Cupletista distendió los labios, pero no dejó que cristalizara la sonrisa.

—¿Ustedes pueden conseguir un perro? —preguntó entonces Yamilé, dando a entender que pasaba de lleno a las cosas prácticas, pero puso énfasis en *perro*, como si dudara.

—Anjá —musitó la Bella.

—¿Seguro? —volvió a dudar Yamilé.

La Cupletista se sentía incómoda. Era una sensación imprecisa, pero evidente. La atribuyó a la majadería de la

Bella con las frases en la pared, minutos antes, y ahora a la pedantería de la dueña de casa. Buscó serenarse cambiando de posición y se sentó más rectamente. Cruzó las piernas y enseguida las volvió a descruzar. Suspiró. Se observó el canto de una uña. Inspeccionó el lugar con un disimulo más bien arrogante.

—Pues yo necesito uno bueno de verdad —aclaró Yamilé y le tendió a la Cupletista el frasco de esmalte.

—Anjá —dijo la Cupletista y le devolvió el frasco, abierto.

—En sí, ese perro no lo necesito yo, sino mi gitana —precisó Yamilé y se puso un poco de esmalte sobre la uña del pulgar.

—¿Su gitana? —se extrañó la Bella.

"Ya sabía yo", pensó la Cupletista, "eso era lo que me sucedía, la presencia de algo raro", mientras Yamilé soplaba sobre la pintura y prodigaba detalles acerca de su protectora, una gitana de Nueva York, artista y clarividente, escandalosa y servicial, enferma a los perros y al tabaco de Cuba. Se llamaba Carmencita la Coja, decía Yamilé, y era hermosísima y, en efecto, ligeramente coja.

—Vivió en Nueva York en mil ochocientos ochenta y pico, y fue amiga de Martí. Fueron, no; son amigos, porque estar muertos no significa que no existan. Dicen que Martí hablaba sobre ella en los periódicos, y que Carmencita le gustaba como artista y como hembra; más como hembra, por supuesto, porque el Apóstol no era fácil.

Yamilé terminó de arreglarse las uñas de una mano y se incorporó para hacerse de un algodón. De vuelta a la pequeña sala, se sintió observada por la Bella.

—Termino y te la paso —le dijo, golpeando levemente el frasco.

—A mí me gustan los colores discretos —se excusó la Bella.

—El perro de mi gitana tiene que ser puro —dijo Yamilé—; ella no quiere falsificaciones.

—Nosotros somos serios —sonrió la Cupletista—. Lo nuestro siempre es de marca.

—Artista de las de verdad —insistía Yamilé—, Carmencita la Coja no soporta las cosas de mentira. Ella es así. Auténtica, sin ser alardosa, una dama que, como pobre, sabe lo suyo. Por eso atrajo a el Apóstol, que también era pobre, pero le tenía miedo a lo falso. Por eso Martí la puso en sus periódicos; por eso le escribió unos versos que a mí jamás se me olvidarán.

Hablaba con una pasión a ras del suelo que, por paradoja, la hacía parecer ilustrativa, pero sus visitantes le prestaban atención, a gusto con sus acotaciones.

—"¡Como una enredadera / ha trepado este afecto por mi vida!" —declamó Yamilé, y luego extendió un brazo hacia la Bella—. Mira esto —dijo—, ¡yo me erizo!

Permaneció en silencio por unos segundos largos, mientras amainaba el brillo en sus ojos, y entonces volvió al esmalte y al algodón oloroso a remotas alquimias.

—Pues ya saben —dijo después—, queremos un perro de verdad, ni tan grande que me robe todo el espacio de este cuarto ni tan pequeño que pase por una alimaña.

—Está bien —dijo la Cupletista y se puso de pie.

—Háganme un favor —pidió entonces Yamilé, perdiéndose tras la mampara china—: cuando lleguen ahí afuera, me le dicen a Azazelo que no estoy. Que ni al rey Midas lo deje pasar a verme.

XVII

"Mis amigos tienen razón, sin saber que la tienen. Desean ser contados, porque intuyen el misterio de las patrañas impresas, el misterio oficial de la escritu ra. Los ronda una tosca idea de la posteridad y juegan con ella. Aunque no se lo expliquen de la misma forma en que me lo explico yo, les gustaría que se les diera la ocasión de prevalecer, de echarse al desagüe mil veces tramposo de esa discursividad sancionada en libros.

"Pero no entienden al escritor, no saben para qué se escribe. No saben que muchas veces —muchas más de lo que ustedes y yo suponemos— no importan la historia, ni el honorable lector, ni la persona misma que redacta. Hay momentos a los que se niega a llegar la ciencia literaria, frente a los cuales le conviene hacerse la desentendida, puesto que, ciertamente, el tiempo de creación de una obra no es obra todavía. Las horas de pensar, de los primeros esbozos, de las últimas correcciones, incluso, son tan sólo las horas de pelea entre el oficio y las palabras, las horas de puro arresto, de simple subsistencia. Si en un instante de ésos me preguntaran para qué escribo, no sabría responder. Cogido *in fraganti*, me escudaría en hipócritas nociones, en gestos de huera filosofía, en tartamudeos de falso altruismo. Allí, cuando soy tanto el hombre como el escritor, dudaría del hablar canónico y podría reconocer que, incluso sin lectores, vale la pena el afán. Entre mi lector y yo no hay sólo aprobación o denuesto; también hay algo de mentira, un punto medio en el que pactamos por pura conveniencia.

"¿Por dónde anda la literatura cuando aún no es literatura? ¿Qué hay en esos manuscritos que no publico, en esas tachaduras que no verán los lectores? ¿Sólo imperfección? ¿Asperezas y basta? ¿A dónde va a parar lo que no alcanza a ser tasado, ordenado, puesto finalmente a orear al viento de una costumbre a la que llamamos *canon*? Esa mujer al fondo de la barra, ¿es literatura? ¿Lo es en mis reflexiones o lo será al ponerse en movimiento, al salir de la prisión fantasmagórica del bar y el vaso persistente entre sus manos? Cuando se marche a la calle, cuando se encauce en esa multitud sin rostro, ¿tendrá fuerzas para volverse un símbolo? ¿Es un símbolo ya, un emblema tan vago que no alcanzamos a entenderlo ni ustedes ni yo? En este instante preciso, ¿es escritura?, ¿es lectura?

"Cuando cierres este libro, ¿seguirá siendo lectura? ¿Lectura para quién? ¿Lectura sólo para aquel que lo abra?

"Mis amigos quisieran volverse un símbolo, es decir, un prejuicio. Sueñan con ser escritos y, en esa franca manera de ser displicentes, se les pasa por alto el escritor. Saben que lo importante es ser leídos, otros saben que lo importante es leer y yo sé que lo importante es escribir. Aunque no hubiera historias, aunque la mujer al fondo de la barra no vuelva a incorporarse, aún si quedara por siempre en la trama de su ron y mis meditaciones.

"Ser autor no importa; ser escritor es visceral.

"Entre la historia que tiene que ser contada y la persona que tiene que leerla hay alguien que tiene que sufrir.

Que lo llamen *autor* no es trascendente. Incluso, nada interesa que lo llamen plagiario, imitador, farsante. Soy un *ghostwriter*, pero lo cierto es que no soy menos *writer* por ser *ghost*; no soy menos escritor por ser fantasma.

"Los vanidosos que me acercan sus historias para que yo les dé el significado que ellos no pueden darles (ni tampoco sus historias a ellos mismos) me superan en ser espectros. Ponen las historias, pero no están aptos para poner las palabras. Lo peor es que las historias me escogieron a mí, y entonces me he dejado manipular doblemente. Las historias me llegan por una vía oblicua, dibujan un rodeo en el que siempre hay alguien que corre el riesgo de resultar más mediocre que yo, un intermediario jactancioso y apóstata.

"Tal vez para el hombre soberbio casi todo sea fatal, es decir, ya esté predestinado. Así, yo justifico mi tarea diciendo que se trata de una cruz. Ponga o no mi firma en lo que escribo, me creo y hago creer que los libros son mi piedra de Sísifo, mi agobio y mi consuelo. Pensándolo mejor, la soberbia de mis clientes es en realidad inofensiva: ellos no saben lo que es lidiar con Dios; yo tampoco, pero me atrevo a imaginarlo y es ahí donde comienzo a padecer. Esa tribulación me hace especial, pienso. Mis clientes no saben lo que es un libro; quiero decir, un libro visto desde el espacio del autor. Ellos no saben padecerlo; apenas se visten con él para dar falsos testimonios. Yo en cambio me saco de cada libro que termino. En mi principio es, en efecto, el verbo; sólo después soy yo, nuevo tras cada nuevo libro. Y más complejo también, lo reconozco, más cínico, más provocador. Desafío a los demás y me desafío. Me sobra modestia para desafiar. Desafío a mis clientes; de mil formas sutiles puedo recordarles que todo sigue siendo mío, que todo lo que creen importante no hizo más que traerlos a mí, y ahora contamino sus historias con mi pensamiento, con mi respiración. No en el tiempo, sino con tiempo, uno crea sus libros. Mis espejuelos son vidrio; mis libros, tiempo. Yo me miro en mis libros con pena y con soberbia. Lo que dejo en ellos es con intereses, lleve mi firma o no. En sus páginas ahorro vida como en una cuenta vulgar.

"Es cínica esa libertad, pero es la que tenemos, cada escritor a su manera: una vana emancipación por las palabras, un futuro verbal, una sarta de intuiciones, un poco de papel.

"Tal vez ir a la verdad a través de las palabras no sea más que un suicidio. La verdad es irrepetible; las palabras siempre son copias. La verdad no pone condiciones; las palabras son, de entrada, una condición.

"—Tú tienes que escribirnos —insisten mis amigos cada vez que nos encontramos, y yo los interpelo:

"—Bella, Cupletista, dejen de ser vanidosos, pues en este terreno no hay otra vanidad que la del escritor.

"Se hacen los que no entienden, o tal vez es cierto que no me pueden comprender. Entonces insisto:

"—¿De qué le sirve a la literatura la vanidad de los personajes? De muy poco. Apenas de moraleja, pero no de impulso.

"Y me niego a escribirlos. Y les digo que, si han de ser escritos, lo serán, incluso aunque yo no exista. Otro los escribirá. Incluso aunque no existan ellos mismos. Y si no existen ellos, alguien tal vez los invente, alguien tal vez, como un dios, los cree.

"—¿Cómo que no existimos, Rítzar? —insisten en protestar.

"—Está bien, está bien —los calmo —, claro que ustedes existen, pero aun existiendo, puede que alguien los invente. Ustedes dos de nuevo, todo por segunda vez. Y si el que los inventa soy yo, los cambiaré a propósito, los haré parecer quienes en realidad no son. Y, los cambie o no, ustedes de todas formas me superarán a mí, así como superarán a cualquiera que se declare autor de la novela de la Bella Repatriada y la Cupletista. Anularán al autor: serán más importantes que él y que todas sus personas, pero nunca podrán anular al escritor.

"Es demasiado para ellos. Vuelven a sus ronroneos, a la vida de acá, a la más lógica, a lamentarse de que siempre comen lo mismo: huevos, panes, una gaseosa apurada; a calentar un poco de rímel, uno, para despertarle el color, a prepararse un baño con pétalos blancos y colonia; al sofá, el otro, con los pies en alto y un periódico del día de ayer que finalmente no abre, porque ni a ellos ni a los personajes que serán les interesan realmente los periódicos y, de cualquier forma, ahora está ilusionado con cosas pedestres.

"Y, sin embargo, sé que insistirán. Así son desde que tropecé con ellos. Con tanto de qué preocuparse y no dejan de actuar como dos personajes en busca de autor."

XVIII

Más mitológico de lo que ella misma hubiese imaginado era el pasado ruso de la Cupletista. O, en otras palabras: la Cupletista sólo en broma se hubiese detenido a considerar el simbolismo de las cosas. Sus entusiasmos poseían un alcance visible a la distancia de una pedrada. Eran concretos y, según ella, necesarios, algo que Rítzar solía reprocharle con frases sarcásticas. "Tú no mereces el símbolo, hijo", le decía con bien actuada afectación, "tú vives ofendiendo a la *imago*". De modo que cuando la Cupletista llegó a Moscú, fue impulsada por un deseo de aventuras común con el de muchos de sus contemporáneos. "Para Rusia, mami, me voy para Rusia", le dijo a su madre repentinamente, cuando nadie la imaginaba en trámites de emigrar, y partió unos meses después, vencido el noveno grado, vencido un conato de temores debidos a la inminente lejanía y a su propio carácter. Sin embargo, la Cupletista no desembarcó en Sheremetyevo con el objetivo de ingresar a la universidad. Terminaría, si no le iba mal, una carrera de nivel medio que muy bien hubiera podido rendir en Cuba. Iba a estudiar en un *uchilishe*, como dicen todavía los rusos.

El edificio de albergues estaba ubicado al sureste de Moscú, en las cercanías de la calle Nizhegorodskaya. Lejos del centro, con uno que otro comercio de fachada adusta, en la vecindad de casas del color de la arenisca, el lugar resultaba monótono, y los estudiantes cubanos comprendieron sin esfuerzo que tenían pocas alternativas frente a las ofertas del menú del albergue, el cual, a lo más que se elevaba, era a un *borsch* abundante en lípidos, vaporoso, con tirillas de col manchadas debidamente de rojo tomate. El resto de la oferta era casi silencio: frascos de *smetana* de muy poca densidad, *kotlety* de condimento exiguo, unas *omelettes* de interior verdoso, empecinadamente frías a cualquier hora, papilla salobre, caviar demasiado barato —la paradoja del caviar, una *vulgata* para estudiantes, amarga al final de la masticación— y los jugos más avinagrados de toda la ciudad. A los estudiantes no les sobraba el tiempo como para viajar a diario hacia la zona céntrica y tenían hambre; algunos no se animaban a llegar ni hasta Riazansky Prospect, la única avenida verdadera de aquellos barrios del sur acordonados por líneas férreas de vías amplísimas.

La Cupletista, que aún no era la Cupletista, sino un joven de modales inciertos que solía conducirse con una reserva que terminaba resultando sospechosa, se fue una tarde a caminar por los alrededores. Frente a un edificio de balconcillos hoscos, le llamó la atención una mujer ocupada en colgar unas sábanas de una tendedera. El balcón daba a las escaleras del primer piso y la mujer no llevaba más prendas que un blúmer y un sostén. Tendría unos 50 años y algún movimiento le hizo imaginar a la Cupletista que trataba de mantenerse en puntas de pie. En realidad, por sobre la baranda del balconcillo, apenas sobresalía una franja del blúmer, de color idéntico al del ajustador, el cual comprimía con encono la espalda de la dama. O tal vez aquellas carnes, fofas como parecían, ya se hubiesen dejado amoldar por el ajustador, se dijo la Cupletista, quien, juzgando por el ancho de la franja posterior, concluyó que del lado de alante habría unos senos monumentales. "Si yo fuera una mujer", se preguntó, "¿hubiera llegado a ponerme tan gorda y tan ridícula? Gorda, quizás, pero no tan tetona", concluyó, sin reparar en que no había podido observar a la mujer de frente.

Un minuto más tarde desembocaba en la Nizhegorodskaya, con su trenza de edificios taciturnos a la distancia. Tenía hambre, y a ello sumaba una leve nostalgia por su barrio habanero, ahora que con la entrada de octubre se insinuaban los grandes fríos moscovitas. De hecho, apenas esa madrugada había cesado la llovizna, pero el tiempo se mantenía como en suspenso, de un gris sesgado por rápidos vientecillos que por unos segundos se quedaban enredados en las ramas desnudas de los tilos. A veces pasaba así: a un día de lluvia le sucedía otro y tal vez otro más. No eran torrentes, pero la persistencia del agua lo ponía melancólico, y lo desesperaba comprobar que nada se detenía por su causa. La gente seguía yendo al trabajo, sus compañeros al *uchilishe* y más tarde al gimnasio o en busca de comida por las cercanías. Otros se aventuraban a la sauna (¡por Dios!), acompañados de feos ramajos para flagelarse mientras se dejaban cocer al vapor.

Mientras caminaba, la Cupletista deseó que todo cambiara de repente, que Moscú no fuera más Moscú, sino una especie de Habana paralela, en la cual él pudiese jugar a ser un forastero, pero sin los riesgos concretos de serlo. El juego a vivir de extranjero le iba saliendo caro, se reiteró frotándose las manos. A veces la lejanía conseguía sacarlo de paso, incluso a él, que no daba muestras de prestar atención a cosa alguna. Pero era demasiado lo que se veía forzado a diferir en aquel país garrafal, entre sensaciones y posibilidades concretas. No era lo mismo Martí en el destierro que él en el destierro.

Frente a una garita poblada por dos mujeres, desechó toda cavilación y se dejó embargar por un olor a grasas y a sazones, de entre las que le pareció identificar el pimiento y la cebolla. Levantó la vista. Estaba ante una empacadora de carne en plena faena, de acuerdo con el aroma y la tarja en la garita. "Combinado cárnico de Moscú, orden de la Amistad con los pueblos", leyó la Cupletista y se imaginó, allá adentro en las naves, a decenas de mujeres con gorros blancos sellando las latas que serían de inmediato embarcadas a Vietnam, a Polonia, a algún sitio de África, tal vez; a Siberia. "Carne rusa de la rica", sonrió para sí, y se lamentó de que en el registro de los destinatarios de la fábrica no se encontraran los pueblos vecinos, aquellos que moraban a 500 metros calle abajo.

Del edificio principal, no lejos de la garita, vio surgir a un hombre en busca de la salida. Usaba un sobretodo ligero y sostenía en la mano unos guantes enrollados como un pequeño pergamino. La Cupletista se le quedó mirando. El hombre —¿30 años?, fornido, de ojos verdes, de labios que recordaban los de Alexei Batalov en *Moscú no cree en lágrimas*, aquella película folletinesca— dijo algo al pasar por la garita y las mujeres le respondieron con una risotada. Después avanzó hasta la Cupletista y dijo "*Priviet*", saludándolo como a un conocido.

—*Priviet* —respondió la Cupletista, quien a duras penas atinaba con la lengua rusa.

El hombre añadió alguna otra frase y le tendió una lata de carne en conservas. La Cupletista se recordaría después dudando, preguntándose gracias a qué malentendido recibía él un manjar semejante de manos de aquel hidalgo —¿no formaría su gesto parte de una burla mayúscula, no lo humillaba el caballero al relacionarlo sin rodeos con la comida?—, y se vería en retrospectiva sonriendo como un tonto, mientras revolvía su mísero vocabulario para ensamblar un agradecimiento ininteligible.

—A tu salud —dijo el hombre, dándole a entender que aquello carecía de importancia.

Poco después, cuando ya era amigo de Serguei, la Cupletista supo que en la empacadora contrataban a cualquiera para trabajar media jornada, en tareas de poca importancia: pegar etiquetas, embalar, cargar los camiones. Seriosha le contó, además, que no era extraño ver a un estudiante merodeando por la garita en busca de un trabajo de medio tiempo, casi siempre en el turno de la tarde, para que no estorbara a los estudios. Fue así como lo identificó a él sin dificultad y se dio cuenta de que no era ruso; pensó en un armenio primero, hasta que lo escuchó hablar. Por su parte, la Cupletista no se entretuvo en sopesar lo del trabajo en la empacadora. Acudió una tarde con las primeras nieves y quedó registrado como etiquetador, según le advirtieron.

Hasta poco antes de su muerte, la Cupletista iba a repetir que, ni antes ni después, ningún cubano tuvo en Rusia un negocio más floreciente que el suyo. Como la carne de la planta no se vendía por aquellos alrededores, él la introdujo en los albergues y fomentó una clientela urgente, poco menos que insaciable, entre sus compatriotas y entre los estudiantes rusos. En realidad, los desfalcos no fueron un invento suyo; él sólo amplificó lo que veía hacer cada tarde a dos mujeres, etiquetadoras como él: al cabo de la jornada, cuando estaban por aflorar los obreros del próximo turno, archivaban una, dos latas, bajo la falda y se dirigían sonrientes a las taquillas. En falsos bolsillos cosidos al interior de su sobretodo, por consejo de Serguei, la Cupletista lograba extraer cerca de diez latas cada día, y aunque siempre le parecían poco, le daban por ellas suficiente dinero como para hacerlo sentir importante. El negocio era demasiado posesivo; nimio y posesivo, y la Cupletista no ponía interés en otra cosa que en extraer latas de carne prensada de la fábrica, y en la compañía de Serguei. Se iría de Moscú antes del tiempo previsto, expulsada del *uchilishe* y sin otra justificación ante sí misma que el hecho de haber conocido a aquel hombre quien, aun sin proponérselo, llegó a deslumbrarla.

Para empezar, nunca se hubiese imaginado a un ruso tan dispuesto a los ceremoniales. Lo poco que rumiaba sobre ellos antes de llegar a Moscú estaba relacionado con la pasión por el alcohol, los sudores fuertes y la rara atención que brindaban a sus matronas. Aquellos descendientes de vikingos —pensaba— no sabían andarse con delicadezas, ni les hubiera hecho falta. Tipos de bromas rústicas, de vestimenta sin garbo, que daban pie a comentarios despectivos sobre su cultura voluminosa y aburrida. La amistad con Serguei le mostró las cosas de un modo distinto. Allí tenía, para impensado disfrute, a otro tipo de ruso, un especialista en tecnología de los alimentos que insistía en hablarle acerca de sus compatriotas, los magnos novelistas del siglo XIX, y de la música de Piotr Ilich Tchaikovskyi, y sobre todo, de teatro. No era que aquello la emocionara, pero la Cupletista intuía que rozaba por única vez el mundo enmarañado de los artistas. Y todo gracias a Serguei, un ruso que, a los ojos de alguien incapaz de renunciar a los estereotipos, rebasaba cualquier idea sobre lo ruso.

Una vez lo vio mientras se afeitaba y se impresionó con la escena. No hubiera imaginado que cupiera tanta exquisitez en los gestos de un hombre que se rasura, porque, para empezar, cuando lo hacía él mismo, jamás se había puesto a estudiarse. Se afeitaba y punto. Con el único fin de mantener a raya la molesta idea de tener pelos en la cara. En cambio se aficionó a juguetear con la visión del ruso en la faena. Serguei, con una camiseta ceñida y los brazos en alto, se inclinaba suavemente hacia el espejo y se miraba agrandando los ojos. Después, con una pequeña navaja, acarreaba la espuma y unos vellos que nunca le crecían demasiado. Movía las manos acompasadamente y se volvía a inclinar sobre el espejo, como si en realidad quisiera descubrir del otro lado a alguien además de sí mismo. La Cupletista repasó tanto la escena, que terminó por añadirle nuevos detalles, pero todos concordaban con la inocencia con que idealizaba a su amigo. Estaba listo para compararlo con Pedro el Grande, matador de suecos y de turcos, el primer ruso en afeitarse a conciencia, pero, por desdicha no conocía la historia del emperador. Al final, la imagen de Seriosha fue eso: una fábula que ella activaba por complacencia y también por superstición, como si se tratara de un talismán.

Serguei había venido a la capital para hacerse ingeniero, a falta de poder estudiar teatro. Era originario de Ramon, un pueblo de la región de Voronezh, donde había un río y una fábrica de azúcar de remolacha, y aseguraba que nunca más volvería a aquella tierra para enterrados en vida, pues allá *teatro* no era una palabra que muchos entendieran. En Moscú era diferente. Aunque no asistiera a una escuela de arte, se vincularía a gente del medio y obraría la metamorfosis: de tecnólogo a dramaturgo. "A fin de cuentas, Shakespeare tampoco se graduó de teatro", se burlaba, aunque no era tan ingenuo como para suponer que eso llamado *éxito* correría a reverenciarlo.

Un día invitó a la Cupletista a seguir, después del trabajo, hasta Riazansky Prospect. Allí bajaron a la estación del metro y, mientras llegaba el tren, la Cupletista mudó las conservas de los bolsillos secretos del sobretodo para una pequeña mochila. "Estoy tan acostumbrado a cargar con las latas, que ya ni me las siento encima", se rió. Caminando por el andén, sintieron el aire seco expulsado por el túnel y Seriosha dijo: "Ya viene", y la Cupletista miró al túnel en cuyo interior, en efecto, parpadeaba una luz aún diminuta. "Ya viene", repitió Seriosha, y la luz ganó una nitidez instantánea, y la Cupletista se volvió para esconder de su amigo la turbación que le produjo la entrada del tren a aquella velocidad, aun cuando no era la primera vez que se colocaba en el borde del andén para comprobar en el reloj sobre la boca del túnel que nunca transcurrían más de dos minutos entre un tren y el siguiente. Pero ese día se dejó impresionar por la luz allegándose impetuosamente, aunque no tenía explicaciones para ello. Tampoco le pasó por la cabeza la idea de que, en el instante de morir, volvería a encontrarse con aquella luz primero diminuta, que se acercaba a él a una velocidad más bien pavorosa.

Tres paradas más tarde salieron a la ciudad, y en un café de Volgogradsky Prospect pidieron té, unas salchichas, pan negro rebanado para Seriosha y un panecillo dulce para la Cupletista. Al poco rato llegaron dos jóvenes y se les unieron. Aún sacudían la nieve de sus sobretodos, cuando vieron entrar a otros dos, trigueños ambos, del Cáucaso, tal vez, pero, indudablemente, Serguei era el más elegante, con su abrigo de cuero, entre cuyo color rojo apagado y el de sus botas hasta media pierna se insinuaba una simetría de gracia inusual entre los demás parroquianos. Apenas iniciado el encuentro, la Cupletista se había dado cuenta de que todos atendían a Seriosha con gran disposición. Se le quedó mirando por unos segundos y disfrutó de su hablar despacioso, pensativo, y de su postura ladeada sutilmente sobre el brazo derecho. Los ojos verdes de Seriosha se agrandaban a la luz atenuada del café, y la Cupletista —quien todavía era un efebo algo taciturno que por entonces prefería mostrarse reservado— lo observaba hablando y sorbiendo té con aquellos gestos innegables de quien es escuchado, y de alguna manera se consideraba dichosa. Su amigo se había abierto el abrigo y dejaba a la bufanda, ahora suelta, mancharle de granate la pechera nívea de la camisa, y la Cupletista se sentía compulsada a corregir la bufanda.

El vocabulario le alcanzaba al menos para entender que hablaban sobre teatro y sobre la obra que estrenarían unos días después. "Seriosha, el actor", se dijo con orgullo. Ahora sólo faltaba verlo salir a escena, y aunque podía admitir de antemano que no sacaría nada en claro de lo que escuchara el día del estreno, era capaz de intuir algo más: ir a presenciarlo resultaría de por sí un *performance*, aunque se lo planteara de otra manera.

—Pero, ¿por qué no me habías traído antes con tus amigos? —le preguntó fingiendo unos celos que no era preciso fingir, pues resultaban casi ciertos, y Seriosha puso cara de divertido y le dijo que, si mal no recordaba, le contó de sus amigos casi enseguida, y le explicó de qué manera trabajosa hacían teatro. Después le pasó sonriente la mano por el pelo y amenazó con deshacerse en genuflexiones ante un público imaginario.

Los amigos escenificaron una leve algarabía y levantaron a coro sus vasos.

—Por Shakespeare —dijeron.

—Por Shakespeare —repitió Seriosha.

—Por Shakespeare —balbuceó la Cupletista y se mojó los labios en el té.

Seriosha parecía excitado. Dijo que la puesta, ya inminente, sería "una sencilla conmoción". Aquel mezclar dos palabras tan distantes era su manera de restarle importancia a lo que lo preocupaba, y al mismo tiempo una defensa contra algunos de sus amigos, negados por muchas causas a creer en el éxito que él les prometía. A fin de cuentas, nunca les había hablado de un triunfo arrasador. Siempre supo que su camino era arduo y empleaba para ilustrar sus gestiones artísticas una frase nada común: *bump trip*, que unas veces traducía como "viaje perverso" y otras simplemente como "viaje accidentado", y que él, concretamente, la había sustraído de la famosa Beat Generation.

—Piensen en la vida del artista —demandaba— y díganme si no es exactamente eso, un viaje en el que lo único verdaderamente innegable es el azar.

Sin embargo, solía librarse de los temores a abdicar evocando a Edmund Kean, el famoso actor inglés del siglo XIX. Kean (1789-1833) había sido, probablemente, el mejor actor de las obras de Shakespeare, y era famoso por el revuelo que producía con su desempeño en escena. Ni su físico, ni su voz, ni sus modales siquiera, dejaban ver de inmediato al genio que en realidad fue. Borracho, mal quedar, dominado por una fuerte conciencia de hijo bastardo, era implacable con sus competidores y no escatimaba ni tretas ni dinero para mantenerlos a raya. Aun cuando no ignorara que ninguno poseía ni el talento ni el valor para igualársele. Lo salvaba el hecho de que, una vez en escena, Kean era su personaje. Se dejaba poseer por cada uno de ellos en lugar de fingir, y el resultado era que muchas veces —reos de un inusual paroxismo— los espectadores se debatían de angustia ante sus demostraciones; algunos llegaban a perder el sentido y debían ser sacados en hombros de las salas. Se sabe que un día, con demasiado coñac en el cuerpo, Kean alardeó de que sus personajes eran su veneno. "Los demás actores afinan los gestos, la voz, y con eso se dan por satisfechos; yo bebo mis papeles como si fueran arsénico", dijo; "yo también soy una creación de *Sir* William Shakespeare". Serguei no paraba de lisonjear a Edmund Kean, quien —precisaba— era contemporáneo del teatro Bolshoi, que al inicio no se llamaba Bolshoi, sino simplemente el Teatro de Petrovka. Serguei intentaba unir la reputación de las obras del Cisne con la importante tradición shakespeareana sobre las tablas. Tenía la esperanza de que su puesta cercana lo ayudara a deshacerse de la pudenda condición de *amateur*, la cual en ocasiones lo impulsaba hacia una ironía melancólica. "Yo que me tomo tan en serio el arte, afirmaba, y el arte muchas veces ni se entera".

De vuelta del café aquella noche, le mostró a la Cupletista el cielo rojizo de Moscú y le dijo que aquel pedazo del universo era lo que más amaba y lo que más odiaba él, todo a un tiempo y sin deslindes, y que si le quitaran aquel mendrugo de cielo, le quitarían la memoria. Lo decía, probablemente, para impresionar a su amigo, pero no era un mentiroso total.

—No te extrañes —añadió— si otros rusos te dicen lo mismo, pero no les creas a todos. Al que veas muy alegre mientras te lo dice, no se lo creas.

Anduvieron un rato aún en la noche fría, despacio y hablando a intervalos, una frase acá y otra allá, porque el sentirse bien comportaba maniobrar con los silencios y diferir la consumación de la marcha. La Nizhegorodskaya no era una calle especial para los paseos. Sus casas no segregaban hermosura, sus árboles habían sido sembrados de acuerdo con secas directivas municipales, no con un deseo de estética, pero la noche malva sobre la ciudad era capaz de atenuar toda crudeza, y ya la calle no era sólo la calle, sino, además, la hora, Moscú, el clima invernal, las luces a lo lejos, los grandes cambios que comenzaban a engendrarse y los pitos salteados de los trenes que, con dolorosa indiferencia, parecían venir de todas partes a la vez. Era el ámbito lo que los tornaba distintos —por unos instantes, es cierto, sólo el tiempo que durara el paseo— y los preparaba para una certidumbre que al rato podría caducar. Serguei comentó algo sobre el ser y el no ser, sobre su vida y sus gustos, y aquéllos —lo admitía— parecían girar todos en torno al teatro; "son como *sputniks* del teatro", dijo exactamente, y asintió risueño; se asintió a sí mismo mientras la Cupletista se limitaba a escucharlo, pero sin tedio. "¿Sabías que la Nizhegorodskaya tuvo hace tiempo su alcurnia?", dijo como si quisiera coronar la velada con asuntos menos personales. "Pues sí", prosiguió, "hacia allá, hacia el norte, estuvo por 1910 la tienda de Smirnov, el de la famosa vodka". Estaban a punto de despedirse, y todavía le insistió para que fuera a la función, pero la Cupletista le dijo que no le era preciso pedírselo, pues allí estaría sin ninguna duda, en la primera línea.

William Shakespeare no iba a ser representado en un teatro habitual, con alfombras y cortinas y un foso para la orquesta, y aquella escenografía cavernosa con que los directores moscovitas de por entonces insistían en homenajearlo. Seriosha los acusaba de ver a Shakespeare con los ojos de Hamlet, no con los ojos propios, y argumentaba que, puesto que para Hamlet no existe nadie superior, ni tan siquiera Dios, para aquellos directores no existía Shakespeare, sólo sus obras. Por su parte, Seriosha se disponía a estrenar una versión para teatro arena, precisamente de Hamlet, y quería invitar a su joven amigo cubano. Se trataba —precisó— de una recreación del acto V, y se iba a titular *El Idiota*, porque, según aseguraba, era ése el significado de Hamlet: el que se finge idiota. Era una idea que había madurado despacio, sobre todo por la situación de los actores, que no lo eran a tiempo total, sino a medias, sólo después de ganar el alimento. Pero ya estaban a punto del estreno y se sentían alcanzados por una extraña sensación de trascendencia capaz de excusarlos de todo lo pasado. "Tú verás", decía Serguei, "cómo te sorprendes con ese Hamlet eslavo"; pero la Cupletista no podía entenderlo. "En realidad", explicaba Seriosha, "no hay mucha distancia entre lo danés y lo ruso; lo que pasa es que el camino es un poco ondulado, eso es lo que pasa". Reían sus colegas y la Cupletista reía para no darles una mala impresión, y en parte también para disimular aquella lejanía suya de todo lo que alguien pudiera llamar *arte*; pero el entusiasmo de Seriosha a aquellas alturas ya no tenía prejuicios. "En realidad", se corregía, "lo importante no es ni lo ruso ni lo danés, sino lo mortales que somos todos". Y no parecía reparar en que su amigo lo miraba con cara de quien ha perdido el juicio. Después se volvía más concreto y hablaba de lo importante de atraer a los periódicos ese próximo día cero, de enviciarlos para que regresaran a la semana siguiente, de modo que toda Moscú se enterara de lo que durante aquel febrero iba a suceder en su mismo corazón.

La Cupletista no estaba dispuesta a defraudar a Serguei, así que el día acordado se fue hacia Petrovka, donde, en un pequeño parque a unas cuadras del teatro

Bolshoi, tendría lugar el estreno. Era un domingo iluminado y tranquilo, y las calles hasta la estación del metro se le antojaron más desoladas que de habitual. De hecho —pudiera haber contado después—, fue ese el día en que su memoria registró el sonido de la nieve hollada. Hasta entonces escuchaba decir: "el crujido de la nieve", y daba la frase por exacta; pero el día del estreno de *El Idiota*, andando solo por la Nizhegorodskaya, se dijo que la nieve, en lugar de crujir, crepitaba, y encontró en aquella sutil discrepancia un motivo de regocijo. "La nieve crepita", pensó y sintió cómo la frase, con su pizca de ridículo, lo elevaba por unos segundos a una tosca noción de poeta.

Desembarcó en Kuznetsky Most y, tras un breve rodeo, identificó la Petrovka, la calle de San Pedro Apóstol. Seriosha le había dicho que la placeta estaba un poco más arriba, hacia Sadovoe Koltzo, y él, luego de unos segundos de observación, comprendió que no era la primera vez que pasaba por allí. Echó a andar despacio, con las manos heladas, empeñado en no resbalar sobre los trillos de hielo tallados por el paso de la gente. Tenía hambre y se detuvo ante una anciana con gorro de fieltro y guardapolvo blanco sobre el abrigo, para comprar un panecillo relleno con arroz. La mujer guardaba su mercancía en un carro de zinc que la mantenía inexplicablemente cálida, y la Cupletista pidió otro panecillo y le dejó el vuelto. "Gracias, hijito", murmuró la anciana y se puso ella misma a mordisquear un panecillo.

La Cupletista no tuvo que buscar mucho la placeta. Un grupo de personas agolpadas cerca de una estatua le indicaba con su compostura avizora la presencia de Seriosha y sus correligionarios. La actitud de la Cupletista no presuponía una gran expectativa. O, para ser exactos, no era la expectativa que se suelen formar los adeptos de las cosas del arte. Él podía dirigirse a ver actuar a su amigo, lo mismo que hubiera aceptado acompañarlo a un baile y, sin embargo, tendría que asombrarse de lo que en unos segundos iba a observar. La *troupe* de Seriosha representaba *El Idiota* en medio de una plaza moscovita en el mes gélido de febrero y los actores llevaban el torso desnudo. Eran hombres todos, incluso quienes encarnaban a las mujeres. Mirando por entre unos jóvenes que le impedían llegar hasta el pie del escenario apócrifo, la Cupletista se detuvo primero en la concisa invocación de un camposanto. Seguidamente reparó en dos mozos que dialogaban así:

El Idiota: Esa calavera tuvo una lengua dentro y, en otro tiempo, podía cantar. Mira cómo la tira al suelo ese bribón del sepulturero, como si fuera la quijada de Caín, que cometió el primer asesinato. Pero hay que distinguir, pues ésa podría ser la calavera de un buen hombre: la de un filántropo o la de un político, la de Beria, por ejemplo, ¿no podría ser?

Horacio: Podría ser, *milord*.

El Idiota: O la de un cortesano, que pudo haber dicho: "Buen día, amable señor. ¿Cómo te va, amable señor?". ¿No podría ser?

Horacio: Sí, *milord*.

El Idiota: O la de un artista, pintor de iconos que, quiera Dios, no hayan corrido su misma suerte, o la de Mandelstam (es otro ejemplo), que experimentó la saña del rey y la conjuró con versos asolados como la estepa.

Horacio: Tiene razón, *milord*.

El Idiota: Me pregunto cuántas veces pensó esa calavera en la patria, cuántas veces ante la ventana abierta se inspiró y dijo así: "la patria".

Horacio: *Milord*, la razón sigue de su lado.

El Idiota: Tal vez estudió la ciencia de las despedidas y supo que tras esa palabra: *despedida*, está la nada, cesa el lenguaje y por un instante nos quedamos tan muertos como ella misma.

Horacio: Vuestra precisión aturde, *milord*; usted es tan sagaz que me asusta.

El Idiota: Claro que sí, pero ahora esa calavera es de mi señora doña Gusana, y se deja golpear por la pala de un sepulturero. Habría en ello una estupenda revolución si supiéramos verla. ¿Costaron esos huesos su crianza, sus virtudes, sus culpas sólo para que se juegue a los bolos con ellos?...

La Cupletista miraba al escenario y, de vez en cuando, al público que, de pie, seguía concentrado en la escena. Eran jóvenes, la mayoría, y parecían tomar por lo más lógico el hecho de que los actores aparecieran con el pecho desnudo, aunque ellos mismos sacudían las piernas a intervalos, como si patear la nieve sirviera para ahuyentar los ariscos animales del frío. Pero asumían con gran seriedad el papel de espectadores. Se hubiera dicho, incluso, que agradecían ser los testigos de aquella singular derivación de la mejor obra de William Shakespeare. Una muchacha de rizos leonados bajo el gorro de falsa piel tocó a la Cupletista con el codo y le dijo: "Magnífico", y aquel gesto inesperado le infundió una admiración adicional por su amigo. Supo que, aunque en realidad no comprendiera lo que Serguei había conseguido llevar a cabo en la escueta plaza de Petrovka, era sin duda algo notable y, de hecho, nunca olvidaría su torso pulimentado por la luz que manaba de aquel blanco por todas partes: de la nieve aposentada en los árboles y en los bancos que escoltaban la estatua de la plazuela, y en el suelo alrededor, y más atrás, sobre los techos en pendiente de los edificios cercanos.

XIX

Rítzar pretendía convencerse de que Anazabel era otro de los tropiezos de su vida y se dolía de no haber podido doblegarla a base de atenciones y de apego. Sabía —creía saber— que todo amor es un ritual que se da por el desgaste, por la entrega y por la contradicción. A Anazabel —pensaba— le iba el orgullo en aquel pacto suscrito bajo el humo de un fuego inofensivo, casi postizo, meses atrás. Si la hubiera encontrado bajo un incendio de verdad infausto, imaginó una vez, otra sería la historia. Demasiado se ocupaba Anazabel en seguir siendo ella misma, encubría sus traumas, cualesquiera que pudieran ser, con un aire pueril e impenetrable, y Rítzar desesperaba. A poco de conocerla llegó a suponer que sería un amor grande. Le gustaba verse junto a ella, mirarle a los labios cuando hablaban y vislumbrar el brillo promisorio de los dientes, exhibirse a su lado como si llevara un trofeo. Más tarde condescendió a comprender que Anazabel era esquiva, desconfiada y a ratos hermética. Con angustia, con temor a que un arrojo repentino lo llevara a tomar decisiones torpes, se iba diciendo que lo mejor era olvidarse de ella, aunque siempre posponía la decisión.

En el ir y venir de la congoja al entusiasmo se le había disgregado un tiempo que ya no podría recuperar, pensó, y recordó una frase de Émile Cioran: "No son los males violentos los que nos marcan, sino los males sordos, los insistentes, los tolerables, aquellos que forman parte de nuestra rutina y nos minan meticulosamente, como el tiempo". En lo concerniente a Anazabel, Cioran volvía a tener razón. Por ser ambigua su tragedia, razonaba Rítzar, por ser tolerable e, incluso, apetecible, soportarla era legítimo. Y le dio risa admitir que a solas frente a eso que llamamos *amor*, ninguna palabra es prohibitiva, ninguna exageración lo es en realidad; nada nos impide validar aquellas ideas: tragedia, congoja, resurrección. Pero Anazabel, que no dudó en enarbolar el *Kamasutra* y su trágico inventario de las fases del amor, se abstenía muy bien de interiorizarlas. Y él mismo, ¿por qué fase transitaba? ¿Seguía siendo el amor aquello que se mueve entre una mirada y la muerte? Y volvió a recordar la manera en que había conocido a Anazabel: una tarde en que ni la lluvia ni el fuego llegaron a ser lo que prometían.

Un día se fue solo a caminar por la ciudad, a escucharse rumiar los recuerdos, los planes que posiblemente nunca ejecutara. Por instinto, se dirigió al norte, rumbo al mar. Avanzó por Águila sorteando a la gente que intentaba comerciar con cualquier tipo de cosas en la vecindad de Reina: camisetas que falseaban con tosquedad las grandes marcas deportivas, medias sacadas con subrepticia repetición de distantes almacenes, cintos, flores sintéticas más ridículas cuanto más suplantaban la condición natural, baterías, madejas de hilo, zapatos, discos piratas, relojes despertadores, cirios, billeteras, bolígrafos, muñecos de peluche, álbumes fotográficos, perfumes que ignoraban su propia fragancia. Había cierta desazón en aquel trasiego, en la manera en que los vendedores trataban de convencer a los curiosos de irse con algo, y en la forma en que éstos analizaban la mercancía, como si supieran que en cualquier momento habría que echar a correr, más por la índole de todo aquéllo, que por la aparición de la policía.

Con un sarcasmo que lo tomó por sorpresa, Rítzar evocó a Sócrates. "Dios mío", repitió a la distancia de varios milenios, "cómo hay cosas que yo no necesito".

Lo decía por burla. De todo aquello que los vendedores anidados en el portal y en la acera trataban de dejar en sus manos probablemente necesitara una buena parte, y en general no era poco lo que necesitaba —o creía necesitar—: cosas materiales y otras para atizar el espíritu. En algunas ocasiones hubiera admitido que no era nada moderado; algún egoísmo lo sojuzgaba con intermitencia.

De cualquier modo, recordar a Sócrates lo animó. No podía evitarlo: ese tipo de asociaciones le infundía a menudo una convicción sin uso práctico, pero esperanzadora al menos. Entonces se le hicieron conscientes todas sus ideas sobre Anazabel. Escritor descarriado, sin valor al menos para mostrarse como tal, se había sentido, sin embargo, capaz de una que otra hazaña de amor, mientras no se presentó ella. Nadie sabía ser tan contradictorio y tan auténtico a la vez, pensó Rítzar, antes de desembocar en el recuerdo de una conversación en la que se enrolaron un día. De una manera imposible de precisar ahora, habían arribado a un tema repetido: *Hombres sin mujer*. Y en ese momento Rítzar vio concretarse lo que hasta entonces era acaso una sensación remota: oír a Anazabel disertar sobre la novela lo ponía de mal humor. Temió estarse comportando como un adolescente, pero le era difícil permanecer ecuánime ante aquellas referencias que, a sus ojos, ella blandía como amuleto.

Para serenarse, inventó un breve ejercicio mental: cerró los ojos y trató de iluminar por separado la imagen de Anazabel y la del libro. Cada una en sí misma, en un retraimiento ideal. Si lo conseguía, tal vez se deshiciera el prejuicio, tal vez comprendiera que emprenderla con un texto literario era un desliz de la mente, una depravación de la subjetividad. Pero no lo consiguió. Veía a la novela como un todo y como un todo se sentía tentado a rechazarla, y el rechazo se lo originaba, no la transformación hipotética que hubiese producido el libro de Montenegro en su persona, sino en la de Anazabel. Aquella vez maniobró para cambiar el tema de conversación y la fue sacando poco a poco del ámbito de la novela, temiendo que fuera sólo una salida provisional. Y, sin embargo, eran temores comedidos, sordos, tolerables, pensaba, de nuevo a tono con Émile Cioran.

—Anazabel —murmuró—, Anazabel...

Tenía frío y un poco de hambre. "Ya encontraré algo más adelante", decidió al atravesar Reina. Con las manos en los bolsillos del pantalón siguió hasta Dragones y allí, esperando a que pasara un auto, un camión, un viejo tirando de una carretilla, recordó una vez en que riñó con Anazabel por alguna razón ahora imprecisa. Estaban en su casa de Monte y ella se fue al balcón. Rítzar aguardó unos minutos. Pensó en dejarla allí un rato para que se calmara, pero después cambió de parecer y fue a buscarla. La encontró recostada a la baranda, jugueteando con un cactus que pendía en su maceta de un clavo en la pared. Ella lo ignoró todavía un rato y después dijo de pronto:

—¿Sabías que el gran Hermann Hesse trató de matarse a los 14 años?

Él no lo sabía.

—Y es raro —sonrió—, porque si hay alguien a quien he leído bien es a Hesse. Desde *Peter Camenzind* hasta *El juego de abalorios*, incluyendo *Bajo las ruedas*, *Demian*, *Siddhartha* y, claro, *El lobo estepario*, que fue el gran *best seller* de cuando yo era niño, a pesar de que se publicó en 1927.

—Es que tú lees al novelista —dijo Anazabel— y yo leo al hombre.

Como no sabía qué contestar, Rítzar se acodó en la baranda y le hizo una caricia breve. Ella se apartó un poco y Rítzar vio que se mantenía seria, mirando a un punto cualquiera de la calle.

—Pues sí —continuó Anazabel—; 14 años tenía y sus padres lo llevaron a un monasterio. Hesse después contaría que se sintió aterrado. Que en las noches lloraba de miedo y de impotencia; que por el día lo acosó la sensación de que iba a perder el habla, de que el encierro le arrancaría el aliento, de que la soledad lo volvería loco. Comenzó a sentir ruidos, a ver sombras fugaces en su celda, temió quedarse dormido y despertar en el purgatorio, según confesara muchos años después. Huyó del monasterio, pero fue capturado y puesto por orden de sus padres bajo una ruda vigilancia. Entonces echó mano a un revólver y se lo apretó contra la sien. Blasfemó entrecortadamente mientras contenía unos sollozos. Estoy segura de que si no le prometen sacarlo de allí, hubiese disparado.

Calló. Rítzar intentó alejarla de aquellos pensamientos, pero no sabía cómo. La tomó de un brazo y la hizo voltearse. Anazabel lo miró de una forma confusa y sonrió. Rítzar tuvo una idea repentina: la curaría de aquellos ánimos oscuros con un contraataque. Entonces le dijo que también Martí había experimentado un arranque suicida. Martí, *el Apóstol*, claro, quién más. Tenía 16 años, sólo dos más que el joven Hesse, y ya lo lastimaba el sometimiento a España.

—A lo mejor recuerdas que con 16 años editó *La Patria Libre*, donde publicó "Abdala". Pues la vez que los voluntarios explotaron por lo que desde hacía dos noches pasaba en el teatro Villanueva, Martí visitaba a Rafael María de Mendive, cerca del teatro. Sentía devoción por su maestro y se dice que lo comparaba en secreto con su padre. De aquella comparación no sacaba mucho en claro, pero el hecho de permitírsela lo inquietaba. Los voluntarios sabían que Mendive no había tenido relación con los aires independentistas del Villanueva, pero, como estaban que trinaban, se acordaron de sus ideas patrióticas y no perdieron tiempo. Dispararon contra la casa y le hubieran dado fuego de no intervenir las autoridades. Cuando Mariano Martí se enteró de que su hijo había estado a punto de involucrarse en todo, se alteró tanto, que llegó a golpearlo. Claro que temía por él, quién diría que realmente lo ofendían sus atisbos emancipatorios, pero desde entonces lo sometió a graves prohibiciones. Más tarde, Martí le confesó a Mendive, a la sazón en el destierro, que sólo la esperanza de volver a verlo le había impedido darse un tiro.

El chillido de un neumático sacó a Rítzar de sus pensamientos. Alzó la vista y vio una moto a unos pocos centímetros de sí, y al motociclista mirándolo serio, inexpresivo, si bien movía la cabeza a uno y otro lado, como si concentrara en aquel gesto todos los escarnios. Rítzar se excusó en un susurro y, mientras se escurría, oyó a sus espaldas los comentarios de burla de la gente. "Que siga con su mística", decían, "que no va a llegar muy lejos".

El cielo comenzaba a cerrarse. Eran grises escenográficos que se instalaban despacio en la tarde y la dotaban de una tristeza previsible, de una ilusión entrecortada acerca de los fríos que no acabarían de llegar. Rítzar miró hacia arriba y se dijo que mejor regresaba a casa, que podía lloviznar de repente, que quizás arreciara el frío, que si seguía pensando en las musarañas el próximo carro lo iba a lastimar. Pero después se serenó un poco. Anduvo otro tanto, con las manos en los bolsillos, hasta divisar el muro del malecón y, más allá, el mar con un vaivén filoso, amenazando con desbordarse sobre la calle. A intervalos, en efecto, una lengua de espuma se removía sobre el muro y salpicaba hacia adelante, como si el océano se hubiera puesto a golpear la ciudad. Crepitaba el agua sin gran interés aún y Rítzar observaba desde lejos, presintiendo más bien su ondular.

Una niña que pasó con un helado lo hizo, primero, estremecerse, pensando lo incómodo que se hubiese sentido él mismo con aquel friecillo y un poco de helado en el paladar; pero enseguida recordó que no había resuelto el asunto de su hambre. Sonrió ahora al ver a la niña lamiendo el globo canela de su helado y buscó un lugar donde comer a su vez. Había por aquella esquina una cafetería por la cual pasaba a veces, y hacia allí marchó, mirando al mar y a la niña, alternativamente, como a veces cuando era niño él mismo y jugaba a superponer imágenes.

Casi al empujar la puerta vio a través del cristal a dos figuras conocidas, a la Bella Repatriada y a la Cupletista. Nunca renegaba de sus amigos. No hubiera puesto reparos en acercárseles con satisfacción y acallar juntos el hambre, pero entonces cayó en la cuenta de que los acompañaba una mujer. Estaba casi de perfil y sonreía con aire que a Rítzar le pareció superior, como de quien está a cargo. Por unos segundos los observó allí, parroquianos sin preocupación, y contuvo el asombro que le provocaba la amistad de los tres y, mucho peor, descubrir que la mujer era —realmente, sin ocasión ahora para sus divagaciones— la misma que tiempo atrás lo retuvo durante algunas horas en el bar de Monte, hechizado por aquel modo suyo de beber en soledad. ¿O estaba encandilado por sus propios floreos de escritor? ¿Venían todas sus subjetividades a jugar ahora con él, a demostrarle que cualquiera que no se prevenga puede caer víctima de sus propias ficciones? Pero no, no se había confundido. Lo comprobó cuando, a punto de volverse, vio llegar al camarero a la mesa de sus amigos, y entregarles un platillo con la cuenta. Entonces la mujer les hizo una señal como para que no se impacientaran. Se incorporó a medias, extrajo unos billetes del bolsillo trasero de sus *jeans* y los colocó en el platillo. Todo lo realizó con breves aires de burla, ladeando la cabeza y sonriendo. Rítzar volvió a mirarla y creyó que ya conocía aquel gesto, que ya lo había repetido ella varias veces en el bar de Monte.

Se dio la vuelta. Comprendió que no se concebía ante sus amigos y la mujer ahora tangible, exigiéndose una lógica que no venía al caso, con una energía que tampoco lo acompañaba.

Fatigoso, se fue por la tarde amoratada sin oponer resistencia a la desconfianza que le soplaba de frente y lo tornaba ceñudo. Mejor —se dijo como recurso predecible— se ayudaba pensando en Anazabel. Hacía unos días que no se encontraba con ella y necesitaba verla. En verdad, siempre necesitaba verla, aceptó con poca elegancia, casi en el momento en que una voz conocida se adelantó para despertarlo de sus preocupaciones.

La voz venía desde una distancia considerable, de alguien que se reía aparatosamente y después gritaba una palabra cualquiera, como un cliché que apoya un retozo:

—No jodas más, alemana. Nosotros te queremos, alemana.

Eran sus amigos que habían abandonado la cafetería y andaban con la mujer en su misma dirección, sin alcanzarlo y sin reconocerlo.

Mientras se apuraba a esconderse tras la próxima esquina, Rítzar recordó una sentencia —de José Lezama Lima, supuso— y se la infligió con mordacidad: "Casi siempre cuando oímos una voz es que estamos huyendo".

Pensándolo bien, razonó al ver que la Bella, la Cupletista y la alemana no aparecían a su espalda, ahora no sabía si la frase pertenecía a Lezama o a T. S. Eliot, genio sorprendente y lapidario. Tampoco tenía idea de por qué barajaba esos dos nombres y no otros cualquiera, como Milan Kundera o Italo Calvino. "Pero, ¿es que se puede confundir a Lezama con Eliot?", dudó. Probablemente, convino, igual que confundimos a una mujer etérea con quien no lo es.

Cruzando una calle, evocó nuevamente a Anazabel, su más costosa paradoja, pensó burlonamente. Todo le llevaba a admitir que comenzaban a distanciarse, aunque le dolería perderla. "¿Y qué tal si me llego hasta su casa?", se atrevió a preguntarse y encontró que la idea era algo natural, algo que ya le correspondía llevar a cabo; pero volvió a dudarlo. No se decidía. No se resignaba a no estar decidido. Se daba cuenta, por lo menos, de que no había muchas otras salidas para sus incoherencias.

XX

Por Lacret iba la Bella incómoda por tener que ir sola, incómoda por el solazo de las 2 de la tarde, porque en Cuba los fríos son tan circunstanciales que después dudamos de que hayan acontecido. Con un abanico trataba de conseguirse un poco de brisa, pero el aire era cálido y de todas formas escaso. La Bella sabía ser moderada. Vestía sin llamar la atención, ropa que se diría neutra, pero hecha para insinuar unas buenas caderas, según su parecer.

Iba pensando en Azazelo, en la mala impresión que le produjera la vez anterior, con aquella forma impúdica de afeitarse. Pasó sin notarlo frente a un hombre joven, quien, colocada una parte sobre la acera y la otra sobre la calle, tenía un triciclo de esos llamados *bicitaxis*. Se afanaba en corregir la posición de un espejo adosado al manubrio, pero no acababa de quedar conforme. Un auto que emergía de una calle lateral mal advirtió al bicitaxi y se vio obligado a sofrenarse y a esquivarlo, tras lo cual dijo el chofer:

—Déjale la calle a los choferes de verdad, cretino.

—Cretinas tus nalgas —voceó el muchacho y con un gesto veloz de la mano dio a entender que abandonaba la gestión con el espejo. Comenzó a pedalear y cuando comprobó que ya el del auto no podía escucharlo, añadió con más fanfarronería:

—¡Y bájate si quieres, maricón!

La Bella, que no había visto relumbrar la escaramuza, se puso en guardia ante aquella palabra vociferada frente a su oído, pero el bicicletero se dio cuenta del equívoco y se excusó:

—No es contigo, mimi; es con un cobardón ahí... ¿Quieres que te lleve?

Subió la Bella y el muchacho se sintió obligado a las explicaciones:

—Aquí hay que estar en dos o tres cosas a la vez. Y hay que estar curtido, porque, si no, te comen los lobos esteparios.

Le había gustado su propia frase, y la Bella comprendió, además, que aquello era como un cigarro en su boca, que no pasaba día sin repetirlo.

—¿Vas muy lejos? —preguntó el muchacho.

—Cinco o seis cuadras más, aquí mismo en Lacret —explicó la Bella.

—A cinco cuadras vive Yamilé —apostó el bicicletero y dejó de pedalear para mirarla un instante y evidenciar que sus deducciones la habían impresionado—. Esa Yamilé vende hasta a su madre —concluyó.

La Bella hizo un gesto de indiferencia que el muchacho, desde su posición al frente, no pudo advertir. Comenzaba a distraerse con el ralo paisaje de Lacret, cuando lo oyó preguntar:

—¿Hace tiempo que son amigas? —y había en *amigas* una cadencia diferente que la incomodó.

El muchacho siguió pedaleando. Insistía:

—Yo veo mucho a Yamilé, pero nunca he estado en su casa. Un día me alquiló, pero no era para que la llevara a ella misma, sino a su mensajero, un maniático ahí.

La Bella asintió. El muchacho se volteó para ver si le estaba prestando atención. Ella volvió a asentir y el muchacho pareció satisfecho. Añadió:

—El tipo tiene un nombre rarísimo. Tan raro que uno ya no lo puede olvidar: Azazelo. Parece algo malo, como el nombre de algún animal. Yo creo que cuando yo era niño ponían unos muñequitos de un tigre que se llamaba así: el tigre Azazelo, medio loco también. El día que lo llevé no soltó una palabra en todo el viaje, ni a la ida ni al regreso. Iría pensando en las musarañas, si es que puede pensar. Y cómo pesa. Me dejó sin aire. Un tipo de su constitución no es para que pese tanto. Su peso y su estampa no combinan, qué va.

Inspiró y se mantuvo en silencio unos segundos. Después, sin volverse, dijo:

—A Yamilé nunca la he llevado. Las mujeres como ella no se montan en un bicitaxi.

Azazelo no estaba a la entrada del pasillo que conducía a casa de Yamilé, pudo confirmar la Bella cuando se hizo evidente del todo la boca del pasaje, y se alegró.

Siguió hasta el fondo y al llegar frente a la puerta reparó en el cartel a la altura de sus ojos. Recordó que el día que fueron a verla por primera vez, Yamilé ofertaba una máquina de coser con motor. En la segunda visita que le hicieron, si no la engañaba la memoria, persistía la oferta, pero ahora, al releer, notó la Bella Repatriada que la mercancía había cambiado. "Se vende un horno canadiense", leyó antes de tocar.

Yamilé había esparcido un ambientador de eucalipto que imponía sensaciones cercanas a lo solemne. La Bella se acomodó en una butaca frente al televisor y recibió con gusto el vaso de agua helada; bebió hasta la mitad y movió el abanico. Se concentró en el frío del vaso contra la piel de su otra mano y cerró los ojos. Volvió a beber, hizo como si se desperezara y dijo:

—No soporto el calor.

—Pues yo hoy madrugué —contó Yamilé, como si no la hubiera escuchado.

La Bella dejó el vaso.

—Yo hoy me levanté antes de las 7, le colé café a Azazelo y lo mandé a un asunto ahí —prosiguió la anfitriona.

La Bella se abanicaba suavemente, pensando en cómo derivar hacia la venta del perro lo más rápido posible.

—Azazelo tiene sus manías, pero es fiel —insistía Yamilé—. Yo no lo dejo entrar aquí, pero no lo injurio. Él sabe que conmigo siempre va a salir ganando y no se me niega. Lo que le mando a hacer, lo hace, y con la boca cerrada, que es lo que me importa a mí.

La Bella apuró el resto de agua, ya no tan fría, y se quedó con el vaso en la mano, sin saber dónde colocarlo. Yamilé se incorporó para hacerse de él y llevarlo a lo que debía ser una diminuta cocina, también detrás de la mampara. Al regresar, ya miraba a la Bella diferente, y parecía dispuesta a no dejarse hostigar por ningún nerviosismo.

—¿Cómo te llamas? —comenzó por preguntar.

—Yo soy la Bella, la Bella Repatriada —dijo la Bella cálidamente, un poco por cortesía y otro para presumir, pero Yamilé reiteraba:

—No, yo digo tu nombre de verdad, el del carnet.

La Bella se lo dijo. Yamilé entonces repitió el nombre como si lo degustara y se le encimó. Respiraba como una mucama de Versalles.

—Quiero darte un beso —explicaba—, dame un beso y no preguntes por qué, sólo dámelo.

La Bella se mostró sorprendida. Era una sorpresa que no llegaba al sobrecogimiento, pero en ese minuto no sabía cómo actuar, qué cosa decir para esquivar a Yamilé; ni tan siquiera estaba segura de querer esquivarla.

—No me preguntes nada —insistía la anfitriona—, ni yo ni nadie sabemos qué me pasa. Ni Carmencita la Coja lo sabe.

Había comenzado a besarla en la cara, en los ojos, en los labios, mientras hablaba y, todavía apretada contra la Bella, trató de zafarse la blusa y la saya alternativamente, de manera que no acababa de desnudarse. Iba de una a otra pieza, libraba un ojal en una, un ojal en la otra y besaba a la Bella con un apremio fatigoso.

—Yo soy loca —decía—, pero no tanto para no saber lo que hago, como ahora.

Por fin se desnudó. Detenida en medio de la salita, se hizo observar toda depilada, irguió con gracia un tanto infantil los pechos *bite size* y quiso desvestir a la Bella. La liberó de la camisa de cuello chino, le soltó el pelo bermellón y la palpó en la entrepierna.

—Estoy loca por verla —susurró—. Quiero meterme en la boca esa tojosa dormida.

La Bella guardaba silencio. La desnudez de Yamilé lo invitaba a recordar la última vez que viera a una mujer así, toda piel y ese chispear femenino que siempre había deseado para sí. Puede que no hiciera tanto, pero, de cualquier forma, lo había olvidado. Ahora era como si se dejara caer en un escenario al que nunca más pensó penetrar. Estaba de súbito allí sin haberlo deseado, sin habérselo pedido a nadie, y ello podía incluso hacerlo dudar sobre la veracidad de lo que ocurría, pero ni el aroma de eucaliptos ni el cuerpo recién aseado de Yamilé le resultaban humillantes. Vio cómo la mujer lo deshacía del pantalón de hilo y murmuraba:

—A mí las chiquitas me arrebatan, ¿sabes? Seguro que la tienes chiquitica.

—Na, mima —dijo y se quedó desnudo.

Yamilé se había apoderado del animal de la Bella y lo observaba como aletargada. Lo sentía abultarse y dudaba entre llevárselo a los labios o asistir a su amplificación definitiva, al momento en que parecería una vela mayor encendida para su alma pecadora. Por fin decidió degustarlo, que terminara de tensarse a mordiscos, y se postró ante la Bella y comenzó a engullirlo con una fruición de la que no se hubiera desprendido de no ser por la presión que, sobre los hombros, la hacía arquearse, perder el equilibrio, resoplar, escupir la piqueta y quedar agachada, con los brazos en el suelo, apuntalándose.

Tenía un tatuaje diminuto en la corona de un seno, y la Bella recién reparaba en el dibujo, ayudada por la posición de Yamilé y un rayo de luz que destilaba desde el fondo la mampara. Se agachó junto a ella y besó el tatuaje, besó el pezón duro y dijo:

—Casi acabas conmigo, Yamilé, casi me quedo vacío.

Suspiró Yamilé como si sintiera alivio al saber que la Bella no la había rechazado por antipatía, sino para prolongar luego el retozo. "Está bien", dijo alabada por la confesión y acabó de sentarse; fingió que golpeaba el animal de la Bella, lo golpeó, en efecto, y se golpeteó el pezón acordonado por el tatuaje.

—Pégala aquí, susurró, dispuesta a proseguir hasta el fin—; borra el dragón de mi teta con tu dragón, Bellita.

Gimió la Bella Repatriada mientras su animal bloqueaba al dragonzuelo; gimió Yamilé acariciada, además, por mano propia y se revolcó en el piso de la sala hasta que la vela mayor volvió a abultarle los cachetes.

—Parecía espuma —dijo después, relamiéndose, depositando el poso en la boca de la Bella—; espuma, no; merengue, champán.

Un regusto antiguo visitaba a la Bella, que se dejó caer en el butacón, repentinamente envanecido, y observó ahora con más raciocinio el tatuaje de Yamilé. "¿Te gusta?", la oyó decir y admitió que sí, que con uno parecido planeando sobre sus falsos senos se hubiese sentido dichoso.

—Los hace un hombre por Mantilla —esclareció Yamilé—, un *master* en inventar figuras que parecen vivas.

Después, como si ya no importara el dragonzuelo, sonrió para decir:

—Y yo que te la imaginaba como un platanito. Para ti eso tan grande debe ser un estorbo.

—Na, mima —aclaró la Bella—. Yo no me doy vergüenza.

Yamilé se quedó pensando. Después sonrió y dijo:

—¿Tú crees que hoy te hice venir sólo por gusto? Ese amigo tuyo debe estar bufando porque lo abandonaste.

La Bella la miró inclinarse en busca de la ropa interior y volvió a desear para sí la piel brillante de Yamilé, y aquellos senos de una pequeñez que le parecía perfecta. Entonces, buscó a su vez el pantalón de hilo, la camisola blanca, su propia ropa interior y, cuando iba a comenzar a vestirse, tuvo un impulso al que cedió de inmediato.

—Dame tu blúmer —le dijo a Yamilé—. Vamos a cambiar.

Yamilé lo miró divertida y él insistió:

—Yo me voy con el tuyo y tú te quedas con el mío. Como recuerdo.

Yamilé se le acercó. Estaba todavía desnudo y mantenía la prenda extendida, en oferta. Pero ella la esquivó y frotó su pecho contra el de la Bella, mientras por debajo sometía la pica a un manoseo que al final resultó desdeñoso.

—Deja esos detallitos. Lo bueno son los hechos —dijo y comenzó a vestirse.

La Bella se vestía a su vez, disgustada por la negativa de la otra, que prefería dejarlo todo en el terreno de la broma.

—Hechos, eso es lo que me gusta a mí —decía Yamilé—. ¿O tú crees que yo me tragué ese anzuelo del gran perro, de que ustedes eran capaces de conseguir uno de los de verdad, un perro con título de nobleza? ¿Tú no ves que el Halid ése es más zorro que cualquiera, más zorro de lo que él mismo puede comprender? Ah, pero desde que los vi llegar a ustedes te puse el ojo encima. Ni Carmencita la Coja pudo prevenirme sobre una cosa así, sobre la posibilidad de que me cayera el trajín ése por hacerlo contigo.

La Bella no dijo nada, pero comenzó a sentirse satisfecha. Si la lisonja hubiera venido de un hombre, probablemente la hubiese complacido más, pero así estaba bien.

—Lo mío era contigo —puntualizaba la anfitriona—. Tu amigo, por ejemplo, es un poco tosco, le falta la feminidad que a ti te sobra, y ésa era la que yo quería probar. Algo femenino desde el lado contrario.

La Bella deseaba otro vaso de agua y Yamilé le dijo que podía cogerlo ella misma: "Ahí en la nevera, y después nos sirves un poquito de vino". Como una amable interlocutora, devueltas a la apariencia de dos buenas amigas que demoran sus copas entre comentarios, Yamilé se las arregló para inquirir por el alias de la Bella.

—Lo raro es eso de Repatriada —aseveró—, esa mala palabra que en tu ambiente debe pesar como un ancla.

—Para ti es un decir —comenzó a explicar la Bella—, pero en la vida real lo de repatriada es un hecho. El caso es que hace como diez años me escapé de Cuba. Iba con la idea del futuro luminoso, ya sabes... De Guantánamo fui a parar a un fuerte en California, un lugar arenoso de cuyo nombre no puedo acordarme. Era un fortín más que un fuerte, pero tenía sus reglas, sus alambradas, sus horarios y su rancho sin condimento.

"Por alguna razón tardaban en franquearnos la entrada al país, 'requisitos de rutina', nos decían, pasos que dictaba la seguridad nacional, y aquello comenzó a dilatarse y el rancho era siempre el mismo, muy en plástico todo, muy oloroso a *fast food*, pero escaso y sin un sabor preciso.

"Recuerdo que un día alguno de los hombres se hizo una herida, con un abrelatas de filo excesivo, en el envés de una mano que tardaron en vendar o en zurcir, pues él no dijo nada hasta un rato después, cuando seguía sin contener la sangre. Los enfermeros que lo ayudaron por fin protestaron por su demora. El médico determinó que necesitaba una transfusión, pero el fuerte era un grano de arena más en todo aquel paraje y ni pensar que los estantes de su enfermería guardaran bolsas de plasma.

"La gente se enteró y quiso donar su sangre. Fuimos a ver al doctor un grupo como de siete, entre mujeres y hombres. El médico se veía incrédulo, no sabía si aceptar o no, dijo que a fin de cuentas tampoco el fuerte era el límite del mundo, que los enfermeros podían analizar la sangre, determinar su tipo, pasarla de uno a otro brazo, pero los militares recelaban abiertamente. Advirtieron que no querían tretas, que si se nos ocurría regalar nuestra sangre podíamos hacerlo, pero en orden, y, otra cosa, que no fuéramos a pensar que aquello nos serviría de algo."

Yamilé la vio callar y fue por más vino. Escanciándolo despacio, como si deseara mantener el tono solemne que de pronto había tomado el diálogo, explicó:

—Es español, ¿no te diste cuenta? Torre Mudéjar, un tinto que un amigo se acostumbró a regalarme.

La Bella aprobó primero y después bebió. Retuvo el tinto en la boca hasta que el sabor le embotó las papilas y comenzó a desvanecerse. Sabía que Yamilé aguardaba por la prolongación de su relato y, antes de reanudarlo, alcanzó a comprender que afuera debía estar anocheciendo.

—Había en el fuerte un soldado —evocó— que no sin lentitud comenzó a mostrarnos cordialidad. Alguna vez se detuvo a hablarnos, cuando no lo importunaba la presencia de los jefes ni lo sumían en otras tareas. Supimos que era latino, *newyorrican*, como él mismo se llamaba, y que después del ejército probaría a hacerse abogado.

"Yo había oído algunas cosas sobre Nueva York; en primer lugar, de sus teatros y el prodigioso despliegue de luces, vestidos y la estupenda música de Broadway. Sabía que era una calle interminable, una calle que, puesta por ejemplo sobre la Isla de Pinos, la rebasaría a todo lo largo y se iría con su bulla y sus espectáculos al mar. Quise precisiones de Sorel y él se echó a reír. Le pregunté por su familia, por la calle de su propia casa y me confesó que aquella era mucho más modesta, en un barrio al que, en noches tranquilas, todavía llegaba la sirena de los barcos que solicitaban auxilio para entrar o salir del puerto.

"Después me di cuenta de que había dejado de sonreír. 'Yo vivo en el guión', le oí murmurar y dudé de lo que había oído. Sorel volvió a reír y explicó que se refería al guión entre las dos palabras con que se conocía a los americanos de cepa impura: italo-americano, franco-americano, cubano-americano. De aquella extraña manera me confesaba que no se sentía ni lo uno ni lo otro, y fue mejor que si hubiera tratado de convencerme con frases atiborradas de tristeza. Me gustó tanto la serenidad de aquel muchacho, que jugué a enamorarme de él; enamorada en silencio, como quien se prepara para una actuación, pero no dice nada. Después de mi regreso, me inventé una quimera bellísima que le relato a todos mis amigos, pero en ese cuento ya Sorel no es newyorrican, sino un cubanito que, como un fantasma, se me aparece todas las noches en el Parque de la Fraternidad y me rapta para llevarme al Vedado."

Cambió de posición, sacudió una pierna y comprobó que la copa volvía a estar llena.

—Ni cuenta me di cuando me serviste —se asombró, medio en broma, medio en serio.

—Toma un poco, que ese vino engrasa las ideas.

—La estancia en el fuerte se alargaba hasta lo indecible. Yo creo que lo hacían a propósito, para desmoralizarnos y comprobar si era cierto que algunos espías habían conseguido pasar de polizones. Lo indudable era que ahora teníamos que vérnoslas con un enojo que se inflamaba con los días, con el mismo rancho escaso de sal y con excesivo sabor a plástico. A lo mejor era nuestro modo de percibir las cosas, pero yo creo que hasta los guardias se replegaron hacia sus barracas y tenían cada vez menos contactos con nosotros. Sorel se mostraba un poco más, pero apurado; no pasaba del saludo y una sonrisa de misericordia.

"Un día me aburrí de esperar el amanecer y salí a caminar un rato. Resultó que había una rara neblina y un vientecillo que no acababa de levantar la bruma, y sin embargo, ya llevaba algunos granos de arena. Cuando por fin vimos un poco más de luz, vimos también que arreciaba la ventisca. Súbitas olas de polvo se precipitaban hacia todas partes y se metían rabiosas en las barracas y en nuestros ojos, pero era un polvo seco, sin lluvia.

"Probablemente la ventisca precipitó las cosas. Probablemente ya los demás tramaban algo que no quisieron decirme, pero me bastó con ver correr a los hombres para comprender que se habían sublevado y para temer que nos mataran a todos. Pero fue tal la sorpresa, que lograron apoderarse de las garitas y, poco después, de las barracas de los militares, a quienes doblábamos en número. "¡Al machete!", dijo riendo un negro a mi lado; "¡viva Cuba libre!". Pero los militares, antes de que los apresaran, habían conseguido lanzar su SOS por radio.

"Como a la hora llegaron algunos camiones precedidos de carros patrulleros con altoparlantes. Dijeron que tendrían paciencia, que serían razonables. La gente decidió entrar por camino. A fin de cuentas, no estábamos en la época de las 13 Colonias, aunque ya nos podíamos dar por deportados."

—Así que tú eres un excluible —se asombró Yamilé.

—No sabes lo que sentí cuando mis compañeros tomaron el fuerte —rió la Bella—; allí supe que somos lo máximo.

—Si tú eres medio lumpen.

—Yo soy un lumpen patriota —se pavoneó la Bella Repatriada.

XXI

La alemana no hizo comentarios cuando le explicaron que esa semana se habían ido en blanco: ni un perrito para hacer la cruz. El chofer se limitó a sonreír, como si no le importara la conversación de las otras. Para subrayar su indiferencia, se puso de pie y caminó hacia la puerta, la entreabrió y fingió chequear el Chevrolet, frente a la casa. Hombro con hombro en el sofá, la Bella y la Cupletista trataban de dar razones sobre lo azaroso del oficio, sobre su falta de seguridad, incluso, para cobrar la presa, y la alemana hacía un gesto vago, como si fuese a asentir, pero enseguida parecía pensarlo mejor y callaba.

Halid regresó frente a ellas, prendió un cigarro, tiró de él un par de veces y se lo pasó a la alemana. Ella le sonrió, tomó el cigarro, pero lo pospuso entre los dedos y allí se fue evaporando despacio bajo la mirada de la Cupletista, que de repente deseó fumar, hasta que la alemana pareció volver en sí y se lo devolvió al chofer.

—Está bien. A trabajar —dijo y se puso de pie.

Sabían que seguir engañándola no les iba a resultar sencillo. Que para hacerlo deberían aumentar el número de los robos y, con ello, desafiar la relativa seguridad de no enviciarse o de enviciarse poco. Pero querían más dinero y también —quizás— comprobar que podían burlarse de la alemana, reírse un tiempo de ella antes de recobrar la soberanía, porque, eso sí, no estaban dispuestas a dejarse chantajear toda la vida.

El chofer consintió unas cuantas veces. Esperaba en el Chevrolet, como de costumbre, y las llevaba a casa del comprador sin desviarse hacia Marianao. Se quedaba después con una parte considerable de la ganancia y nunca se olvidaba de ser irónico.

—Si quieres dormir en paz, róbale a un ladrón —sentenciaba.

—Ya encontraremos la manera de robarte a ti —prometía la Cupletista en un susurro.

Una noche, como al descuido, Halid comentó que por el Vedado comenzaban a oírse cosas de los robos. Que la noticia, aumentada lógicamente por la imaginación y la mala idea de la gente, podría llegar a estropearles la faena. Que él no quería ni pensar en caer en una encerrona. Que, si por casualidad iba preso y encima de todo perdía su carro, ya se podía dar por acabado, por muerto. Que ni el Dante hubiera podido imaginar una situación peor. Y aunque no sabía si estaba exagerando o si lo asediaba un temor más serio, la Cupletista prefería tomarlo a la ligera.

—De todas maneras, hoy nos toca ir a otro sitio; ya en el Vedado operamos anteanoche —dijo y silbó.

—Yo no sé nada —dijo el chofer—; yo, como siempre, me protejo en el carro, y posiblemente de ahora en adelante me sitúe más lejos todavía del objetivo.

—Tú eres bueno —dijo la Cupletista—. Pero nunca se te olvida cobrar.

—Yo soy el chofer. Y gracias a mí hacen lo que hacen, y encima de eso engañamos a la jefa.

—El chofer —dijo la Bella como si dijera *el enemigo*.

Era alrededor de la medianoche y debían ponerse en camino. A pesar de la breve disputa, Halid comenzó a tararear unas coplas. Con menos tráfico a su encuentro, el Chevrolet se deslizaba por el centro de la calzada con rústica altanería, rugiendo como una fiera pasada de moda. Sin poner mucha atención a lo que hacía, la Bella se frotó las manos. Más atenta, palpó un detalle en el canto de una uña que le molestó. Pidió al chofer que prendiera la luz para limársela. Nadie pareció haberla escuchado. La Bella Repatriada repitió el ruego. Halid terminó una copla y dijo:

—¿Se van a maquillar para saltar cercas?

—Por favor —solemnizó la Bella.

—¿Vestirse de noche para embarrarse de perros?

—*Please* —repitió la Bella, rozando el cinismo.

El chofer detuvo el auto, bajó y dijo que volvía enseguida, que se limaran lo que se les ocurriera, que él necesitaba calentarse el cuerpo. Estaban en los alrededores del Parque de la Fraternidad y hacía frío. La noche se había tocado con un aura melancólica, de una levedad rojiza que insinuaba lluvia y al mismo tiempo una indiferencia trabajosa, artificial. "Tengo frío", pensó la Bella mientras se limaba la uña y soplaba sobre sus manos con gestos angulosos. Al poco rato pareció satisfecha, pues le pasó la lima a su compañera, salió y dio unos pasos por el portal, sin alejarse del Chevrolet. Entretenida, no había visto que Halid entraba a un bar en la acera de enfrente, y ahora comenzaba a sentir impaciencia. La disgustaba estar allí a aquella hora, ella y su amiga a cargo del auto, casi un botín los tres, tentando a los malhechores. En noches como aquélla, insistía en añorar su vida anterior, cuando toda su faena se limitaba a unos cuantos negocios de poco calado o a llevarse la cartera de los negligentes.

Volvía sobre sus pasos, cuando descubrió al chofer abriendo ya la puerta del carro y haciéndole señas para que se subiera. Sintió alivio. Se acomodó detrás y suspiró. "Tengo frío", susurró, apretándose contra la Cupletista, que la atrajo un poco y le echó encima el aliento de un beso sin gran filiación. El chofer, que parecía inmerso en sus propias cavilaciones, dijo, sin embargo:

—Pues tuéstese el vientre con este ron de pordioseros.

—Ni loca —proclamó la Bella.

—Huele mal —continuó Halid—, pero el cantinero tiene tanto sueño que se le olvidó echarle agua.

—Date un buche —opinó la Cupletista—, contra el frío y contra la fatalidad.

—Déjala —intervino Halid—, que si no lo toma ella, se lo voy a echar yo donde ustedes saben.

—Hazte el loco —amenazó la Bella, pero ya se llevaba la botella a los labios.

—Está fuerte —convino—, pero sabe a cicuta.

—Había un tipo en el bar —contó sin pausas el chofer— que debe volverse loco en los próximos días.

La manera en que lo pronosticó hizo reír a las amigas en el asiento de atrás.

—¿Tan mal lo hallaste? —preguntó una.

—Me hubiera gustado ver a un tipo así —intervino la otra—; yo nunca he visto a nadie a punto de fundirse.

—Un loco potencial —insistió el chofer—. Estaba en la vitrola tratando, supongo, de poner algún disco, pero no se decidía. Debe haberse olvidado momentáneamente de quién era y de qué rayos hacía delante del aparato aquel... Hay tipos así. Me impresionó la forma en que me clavó los ojos cuando su mirada se fue contra la mía. Yo creo que en realidad me estaba pidiendo auxilio.

XXII

Acodado en el balcón, mirando la calle debajo de sí, Rítzar comprendió que esa noche no le sería fácil ponerse de acuerdo con su malestar. Comenzaba a oscurecer y todo ingresaba a una especie de distensión: era como si las cosas perdieran impulso, retiradas un poco hacia sí mismas, y la gente amagaba con volverse más noble, más tranquila, más cuidadosa con los demás, pero la presunta distensión de esa noche no lo encubría a él.

En aquel ideal repetitivo que siempre le habían parecido los anocheceres —volvió a pensar Rítzar— no encajaba él ahora. Mirando la calle debajo de sí, acodado en el balcón, notó cómo lo asediaban algunos impulsos suicidas, no porque de repente fuera a herirse, sino porque estaba añorando un estado de arrojo que lo liberara a toda costa de la melancolía. Un suicida que no quiere morir, probó a mofarse, un kamikaze con escrúpulos.

Entró a la casa y se dejó caer en el sofá, frente al librero. Pasó la vista por algunos libros y se dio cuenta de que la letra impresa lo sobrecogía. Era algo a lo cual durante un tiempo había tenido miedo acercarse y después, cuando finalmente cedió a la tentación de la literatura, lo hizo de reojo, mediante un arrendamiento vergonzoso. Pero así eran las cosas, determinó ahora, y no había por qué inventarles otro sentido. Es decir —pensó—, no es que tengan el estricto sentido que uno les adivina, sino que el sentido que creemos que tienen ciertas cosas también nos forma como seres humanos. Nos informa.

Se incorporó. "No más filosofía", se dijo camino a la cocina, donde destapó unas cazuelas y hurgó en el arroz agarrotado, en los frijoles de esa mañana, pero desistió de comer. Buscó un poco de alcohol, pero sólo había algunas botellas vaciadas ya, mintiendo sobre un armario. Escurrió una al azar y se llevó el vaso a la boca; escupió las pocas gotas que había logrado recoger y volvió a la sala, al sofá frente al librero, a sus pensamientos brumosos.

El magro ruido que venía de la calle por el balcón abierto le sugirió, horas después, que debía ser tarde. Se incorporó frotándose los ojos, sin mucho equilibrio aún, y, de forma mecánica, se dirigió a la escalera. Por los portales avinagrados vio deslizarse a algunos paseantes y comprobó que faltaba poco para la medianoche. No se extrañó de haberse quedado dormido en el sofá. No era la primera vez que pernoctaba allí o que simplemente pellizcaba sobre él una siesta para después seguir trabajando. Más lo asombraba su propio impulso para lanzarse a la calle sin un interludio entre aquel sueño imprevisto y la súbita necesidad de actuar que le procuraba un arrojo que él mismo hubiese estado dispuesto a poner en tela de juicio. Pero allí iba, contra todas las banderas de la prudencia.

En las cercanías del Parque de la Fraternidad penetró a un bar. La mesa que escogió quedaba justo bajo una lámpara escarlata y Rítzar, solicitando un trago, se dijo que estaba bien, que aquel cono de luz un tanto ridículo le venía como un encabezamiento perfecto. Bebió solo y despacio, contando las canciones que goteaban de una vitrola en el rincón y luego pidió un nuevo trago y quiso él mismo ir a poner un bolero.

Comprobó que el aparato estaba mal surtido, "como es lógico", murmuró, y siguió leyendo los títulos que se le ofrecían, encorvado sobre la pantalla de cristal, sin decidirse por un disco u otro. Levantó la vista, resignado a volver a su mesa, cuando descubrió a un hombre que lo observaba desde la barra. Lo miró él también durante unos segundos y después, como el hombre aceptara una botella que le tendía el barman y caminara hacia la salida, Rítzar volvió a enrolarse en la pesquisa del bolero.

Paladeando la última estrofa en la irrepetible voz de Benny Moré, se repitió que no hacía nada en aquel sitio, que no deseaba seguir posponiendo la vida, y se incorporó para irse a la calle. Entonces sintió deseos de orinar. Aguzó la vista en la semipenumbra y ubicó la puerta de los baños al otro lado del salón, opuestos a la barra. Sólo cuando avanzaba entre las mesas, reparó en que el bar estaba semivacío y que dos hombres que habían estado bebiendo en una mesa contra la pared se habían encargado de mantener activa la vitrola, hasta que él fue por el Benny.

Lo primero que vería al penetrar en el baño sería a un hombre alto, gordo, de camisa blanca, que pasaba con desenvoltura la cincuentena. Rítzar reparó en que llevaba un tabaco en el bolsillo de la camisa, de tela fina al parecer, de mangas largas. Lucía un bigote entrecano, un poco menos gris que el cabello, peinado hacia atrás y nada escaso. Estaba como detenido frente a un urinario y miraba fijamente a su derecha y suspiraba y le temblaba la mandíbula, lo cual se reflejaba en una papada evidente. Rítzar buscó en dirección a lo que había petrificado al sesentón y descubrió a un mulato que orinaba aparentemente ajeno a todo lo demás, pero lo cierto era que se había dedicado a exhibir la tirantez de su garrocha. Entre la garrocha y la ansiedad del sesentón había una resistencia matizada por el orine escaso del mulato que dejaba ver una especie de desprecio por el hechizado, pero no ponía fin al hechizamiento. Rítzar no se sorprendió. Le indicó al maravillado que podía continuar en lo suyo, se dio la vuelta y salió a la calle.

En el Parque de la Fraternidad le dijeron que por llevarlo a aquella hora hasta el Cotorro le cobraban el doble, y eso porque ya el chofer había logrado juntar un puñado de trasnochadores que lo acompañarían en el viaje.

Pagó.

Allá por San Francisco de Paula se hizo explicar algunos detalles del Cotorro, del barrio específico que buscaba. El chofer, mirándolo de reojo, lo tranquilizó.

—En esa zona yo soy un mago —le dijo.

Rítzar lo miró complacido. El chofer sacudió la mano derecha para acomodarse una especie de manilla que en la penumbra del carro relumbró ahogadamente. Sonrió y volvió a decir:

—Allí y en cualquier parte de La Habana, para serte sincero.

El lugar donde bajó de la máquina estaba oscuro y Rítzar se sentía abrumado: molesto en parte y en parte triste. Sumó a las explicaciones del chofer lo poco que ya le había contado Anazabel sobre su casa, y comprendió que debía andar unas cuadras más. Cuando tuvo la certeza de que se acercaba al sitio justo, se sumió en un gesto pueril: se encorvaba para no ser reconocido, a pesar de la oscuridad.

Mirando a la casa de lejos, Rítzar se sintió empequeñecido, como quien ve escapársele el orgullo. Acechar a una mujer que ha sido nuestra, dejarse dirigir por la desesperanza y la cobardía, sentenció, era una postura de un lirismo grosero, e, incluso allí, en aquella pose poco honorable, con frío y con deseos de orinar, él seguía careciendo de originalidad. Cansado de recriminarse, pensó en Speek, el perro que su hermano le diera en obsequio y él a su vez entregó a Anazabel. Le habría gustado verlo, colocar una mano en el lomo de la bestezuela y sentir su estremecimiento de agrado. Allí debía de encontrarse ahora, a sólo unos pasos, quizás dentro de la casa, por la frialdad.

La fachada de un blanco brillante, debido a la luz del poderoso bombillo que la enmarcaba y le infundía una apariencia de nácar, y alrededor la noche que vindicaba un silencio atemporal, le hicieron recordar los cuadros de Rubens y su respeto por el *pathos*, por lo inevitable de lo que se nos abalanza, y ello bastó para que volviera a sentirse desolado y ya no pudiera soportar el ridículo ante sí mismo. Pensó otra vez en Speek, ahora para decirse que con toda seguridad ya el animal no lo reconocería, que si se le daba la ocasión, podría incluso llegar a atacarlo. Después tuvo, quizás por un segundo, el valor de entender todo su absurdo y pensó lo igual que serían aquella noche y aquella fachada sin él. Sin otro razonamiento, decidió marcharse, pero entonces se vio sorprendido por las luces repentinas de un automóvil.

Su primer gesto fue de asombro, aunque enseguida comprendió que era muy difícil que alguien, desde el interior del auto, hubiera reparado en él, porque las luces no lo habían palpado directamente; fueron apenas una indicación, un consejo para que se pusiera en guardia. La oscuridad lo seguía auxiliando y ello lo indujo a detenerse tras unos arbustos, expectante y nervioso.

Rítzar no tenía noticias del Chevrolet de Halid, pero no se hallaba tan retirado como para no reconocer, tras algunas cavilaciones, a sus dos amigos. No quiso —por lo menos entonces— explicarse nada de lo que veía. Se abandonó a las raras evidencias que colocaban a la Bella Repatriada y a la Cupletista en aquellos escenarios distantes y se prohibió dramatizar cuando se hizo evidente que acechaban la casa de Anazabel. Sin pensarlo mucho, tentó en su bragueta y vertió entre los arbustos un orine indiferente y prolongado.

Frente a la fachada, como en ascuas, la Cupletista y la Bella parecían vacilar. Debían, según les explicara el chofer, pasar a la derecha y alcanzar el sitio donde estaba la casucha del perro, ya en la penumbra. Pero algo las detuvo en la acera opuesta.

—No sé —explicó una—, tengo como un escalofrío...

Y la otra:

—Yo igual; debe ser la madrugada, la humedad de la llovizna de hace un rato, este viaje hasta aquí, tan lejos, y que me estoy meando.

Se sacudieron, buscando poner los músculos a tono y cruzaron la calle encorvadas y ágiles. "Me meo", insistió la Cupletista en un susurro, pero su amiga la obligó a posponer la urgencia.

Localizaron, en efecto, la casucha hacia el costado derecho de la vivienda, y advirtieron que no era difícil ganar el otro lado. Dispuestas a saltar la cerca de malla, una se volvió a mirar al carro de Halid, paralizado en la penumbra de la otra cuadra. Más bien lo adivinó como una mancha espesa que, sin ella saber la causa, le volvía más trabajosa la respiración.

Saltaron.

El cachorro —había precisado el chofer— estaba esa tarde, cuando él hizo el chequeo, atado a la casucha, así que la Bella y la Cupletista iban preparadas para cortar el collar de cuero que le habían puesto los dueños. Avanzaron a lo largo de la casa, arqueadas y opacas, como dos espíritus. La Bella Repatriada deseaba hablar con su amiga, confesarle que no se sentía igual a otras noches en que llevarse un perro era acaso una insulsa bellaquería, pero la Cupletista le ordenaba mantenerse en silencio y seguía avanzando con gestos de amenaza. En la casucha donde debían encontrar al perro no había otra cosa que una cadena vacía y un charco de luna.

Trataban de ver más allá de la tiniebla, entre unos árboles que contorneaban la casa y dejaban pasar el chirrido de un grillo. La noche se mostraba insensible, menos rojiza ahora, y quien hubiera mirado entonces al cielo hubiera dicho que los astros aparecían más lejos que de costumbre.

La Bella se impacientaba.

La Cupletista dio unas pataditas en el suelo y se apretó el vientre. Sabían que no era bueno demorarse allí, pero no deseaban irse con aire en las manos. Llamaron con silbidos ahogados y finalmente volvieron sobre sus pasos, dispuestas a marcharse.

Entonces vieron a Speek. Estaba frente a ellas y la Cupletista pensó que sus ojos eran como dos brasas mudas. Antes de echarle mano quiso acariciarle la cabeza con una simpatía vacilante. Vio que no era propiamente un cachorro, pero aún parecía atemperado e irresponsable. Pensó vagamente que le hubiera gustado saber el nombre de aquel animal, que le hubiera gustado tenerlo con ellas y llamarlo: "Caruso", bromeó, "Coppelius", antes de volver a la realidad. "*Andiamo*", dijo, entonces, y trató de agarrarlo para alcanzárselo a su amiga, quien ya estaba del lado de la calle. Como lo sintió gruñir, le susurró unas palabras de cariño, pero Speek parecía ahora más furioso. Seguía amenazando y la Cupletista pensó en desistir.

—Acaba ya —dijo la Bella Repatriada, impaciente.

Debía agarrar al perro y pasarlo por sobre la cerca, y no contaba con demasiado tiempo para ello. Mucho peor: podía confesar que se moría de miedo, que jamás agarraría a un animal que gruñe y amenaza con morder. Se dio la vuelta y se prendió de la cerca, pero no pudo escalarla. Más tarde aseguraría que sintió primero la mordida y después los gruñidos de Speek, que intentaba tragarse su pierna. Estaba fuera de sí, a juzgar por la rapidez con que la echó abajo y le clavó los dientes en un brazo, sin detenerse a ladrar o a respirar siquiera.

La Cupletista nunca llegó a comprender cómo pudo recordar que llevaba un cuchillo, cómo se hizo de él y punzó varias veces a la fiera que, en caso contrario, se hubiese atrevido a devorarla. Tampoco recordaba el momento en que se sintió libre y se lanzó hacia la calle. Desplomada en la acera, oyó los quejidos del perro herido y se alegró al imaginarlo boqueando, desangrándose. Después vio que se encendían algunas luces en la casa y corrió hacia el carro como pudo y musitó al montar:

—No aguanté, me oriné toda.

Si hubiera tardado unos segundos, hubiera visto a Anazabel que venía por una acera al costado de la casa, como quien se vale de la puerta del fondo, precedida por un hombre que ya se inclinaba sobre el perro y movía la cabeza con impotencia.

—Yo creo que lo mataron —dijo el hombre—; creo que lo mataron —y se incorporó para salir a la acera, donde comenzó a dar gritos.

Quería que volvieran los asesinos, que se atrevieran a hacérselo a él, que fueran machos por una vez en la vida y le blandieran un punzón frente a los ojos. Anazabel, acomodándose un suéter sobre los hombros, llegó a su lado y trató de calmarlo, le hablaba con gestos breves, le pasaba una mano por el pelo y lo halaba hacia la casa, hacia Speek, que los necesitaba con urgencia, insistía, pero el hombre seguía vociferando. Actuaba como si con su furor hubiese podido salvar a la mascota.

—Dos mordidas —gimió la Cupletista cuando ya el Chevrolet hendía los barrios altos de la calzada—, como dos navajazos, así que debo estarme vaciando.

—No estás echando sangre, descuida —le dijo su amiga, pero ella escondía la cara entre el asiento y el cuerpo de la Bella, mientras estiraba el brazo como para que alguien se ocupara de él.

No sangraba demasiado. El chofer, que se detuvo un rato después para observarlas, comprobó que las heridas eran profundas, labradas como a tirones, aunque la sangre era poca. Entonces volvió al timón y encendió el carro.

—No sé qué hacer contigo —murmuró antes de apagar la luz.

—Llévanos a Marianao —dijo la Bella.

El chofer vaciló.

—A Marianao... —dijo, y dejó la frase en el aire.

—Llévanos, Halid —insistió la Bella.

—Sí. Parece que es lo mejor —admitió al poco rato el chofer—. A ver si de paso, ventilo el carro...

La Cupletista sintió ganas de llorar. Experimentaba una especie de compasión hacia sí misma que la impulsó a acurrucarse en el asiento, ahora con la cabeza en los muslos de su compañera y un dolor seco en las heridas, que la hacía temblar. Mantenía el brazo separado del cuerpo, con miedo a mirarse, y gemía. Su amiga se empeñaba en consolarla, aunque ella misma sentía aprensiones oscuras y no quería mirar el brazo que la otra le colocaba frente a los ojos, como si se lo ofreciera en obsequio. Con gestos inflexibles, mecánicos, le metía los dedos en el pelo y la acariciaba.

—Trata de dormirte —dijo después, por decir algo amable.

La Cupletista comprendió que si el dolor le hubiera permitido dormirse, hubiera tenido, de cualquier forma, un sueño severo, contaminado por el delirio. Recogió el brazo con cuidado y se lo acomodó sobre una cadera. Sosteniéndolo con la otra mano, experimentó un alivio provisional y entrecortado. Trató de imaginar que, en efecto, se quedaba dormida a despecho del dolor, y del miedo, y del recuerdo del perro —de aquella maldita alimaña—, que ahora debía estar ya muerto, si los dueños no se apuraron a buscar quien le detuviera la hemorragia. Como se sentía vulnerable, "como las desgracias se llaman unas a las otras", apostó a que en el sueño se encontraría sin falta con la alemana. Y la entrevió al lado del chofer, dando la impresión de que lo dominaba todo; ordenándole ir más rápido, directo a La Habana Vieja, a donde un médico de confianza, "a ver si nos salva a ésta; si le quita el dolor de ese brazo; si tiene tiempo para sacudirle la rabia y que, después, ni ella ni su amiga puedan decir que no me ocupé de sus problemas mientras estuvieron a mi servicio". El chofer la enfocaría con sus ojos mordaces, comenzaría a silbar una música imprecisa, un bolero, seguro, y aceleraría. "Bien", diría la alemana, "coge por Malecón, que es la mejor ruta".

Asentiría el chofer en busca de Malecón, silbando su cancioncilla, demorando a propósito las notas, haciendo más lento el bolero, rebajándolo a treno y en unos minutos el olor a mar picado, el paciente olor del mar, adelantándose, anulando el tufo del orine y del miedo, le haría pensar a la Cupletista que siempre hay una cura para todo, que hay un tiempo para enfermar y un tiempo para curarse, y que aquel que es persistente, aquel que no reniega, aquel que tiene fe, aunque lo dejen caer entre las fieras, aunque las fieras un día lo desguasen, se cura.

Pero en el Malecón serían embestidos por ramalazos de una niebla pálida, delirante en efecto, y la alemana se inquietaría, se mostraría enfadada.

—Apúrate —le diría al chofer—, que esta neblina lo emborrona todo y hace que su frío se incruste en el cerebro.

Halid, ahora menos cínico, trataría de apurarse. La calle estaba allí, sólo para ellos y para la niebla, por lo que no era peligroso correr. A la altura de la Avenida del Puerto, la bruma comenzaba a replegarse, como un animal exhausto. Después de superar la Lonja del Comercio, el Chevrolet llenó una calle con su sonido romo, se desplazó algunos minutos más y se detuvo.

Despertaron a la Cupletista.

Cuando la bajaban entre su amiga y el chofer, la alemana reparó en que el brazo comenzaba a sangrarle de nuevo y se rió para sí. Nadie la vio reírse; nadie salvo Halid, que sonrió también, como quien sabe lo inevitable.

—Tráiganla rápido —mandó la alemana—, que no quiero ni pensar en arrepentirme.

La Cupletista se dejó izar por una escalera ruinosa, lidiando todavía con la imagen de la bruma que, en sus sueños, alarmó a la alemana a la altura de Malecón. Los toques en la puerta la hicieron concentrarse. Como tardaban en abrir, la alemana volvió a golpear. Por la madera leprosa de la puerta comenzó a filtrarse finalmente un poco de luz y después un ruido afelpado.

Abrieron.

La Bella y el chofer penetraron a la casa con la herida, que ahora se había puesto a sollozar. Tuvieron que esperar a que hablara la alemana para darse cuenta de dónde se encontraban.

—Bueno, aquí tienen al enemigo —rió la alemana y saludó a dos morenos flacos, rapados, que la miraban divertidos.

—Tú no fallas, alemana —dijo uno en son de burla, bostezando exageradamente, con una voz de tenor que repicó en la sala a media luz.

—No, yo nunca fallo —alardeó la alemana, mirando regocijada al chofer.

—Dios mío —dijo la Bella y abrazó cómicamente a su compañera, como si de repente se le hubiese ocurrido defenderla.

Pero enseguida pareció volver en sí y, aprovechando un descuido, se lanzó hacia la puerta y, escaleras abajo, hacia la noche, que insistía con unos rojos impávidos.

Corrió sin descanso y sin pensar bien hacia dónde se dirigía. Lo elemental era correr, como si le fuera posible escapar no sólo de aquella casa, sino de todo lo vivido en los últimos tiempos. De sólo una cosa se preocupaba: de alejarse del mar, pues algún instinto le decía que el mar aquella noche había enfocado la ciudad con su lado siniestro, y ella no quería tentarlo. Corrió por una calleja olorosa a mariscos, atravesó al sesgo una plaza en la que se erigían una estatua, un árbol y una ermita, maltrechos los tres, como la respiración de la Bella. Desembocó en una avenida extrañamente iluminada, pero desierta, y al torcer en busca de lugares con más oscuridades, se enredó entre unos raíles precarios, inservibles ya, anclados al pavimento desde tiempos que nadie rememora. Allí comprobó que al menos no la perseguía el olor a mariscos, pero siguió corriendo.

Cuando el cansancio comenzó a reducirla, cuando le pareció que de no detenerse perecería por falta de oxígeno, se dejó caer contra una pared y se asió a un enrejado de lo que semejaba una ventana grande.

Resopló.

Se oprimió el pecho en un gesto inútil, para aplacar el corazón desbocado, y se puso a sollozar, a pesar de que comprendía que, de no seguir huyendo, podían darle caza la alemana y sus secuaces. Trató de componerse. Se concentró como pudo para reconocer el sitio en que se hallaba. A duras penas identificó un barrio de Centro Habana y decidió seguir rumbo a Belascoaín, y de allí a cualquier parte, ya vería. Tampoco tenía por qué seguir corriendo, dedujo. La negrura de la noche y la distancia que había puesto entre ella y el enemigo le permitían alejarse a paso más disimulado, anónima, como cualquier sombra trashumante. Echó a andar siempre por los portales, y de vez en vez se volvía para comprobar que seguía sola, y que los ruidos que llegaban hasta ella eran inofensivos y ajenos.

Supo que se dirigía al cuarto de Yamilé cuando bajó de una *guagua* en Diez de Octubre, al alba. O tal vez lo sabía desde el principio, desde que, como un animal enloquecido, se dejó caer por las escaleras de la casa donde había quedado varada la Cupletista, pensó ahora. Lo supiera o lo ignorara, se dijo, no resultaba un mal sitio para ocultarse. Era, probablemente, el único lugar de La Habana donde no la buscarían sus enemigos, aventuró mientras encaraba la cuesta de Lacret, envuelta en un amanecer silencioso. En su nuevo refugio pensaría en algo. Con la condición de que Yamilé le diera abrigo, por supuesto.

XXIII

Azazelo volvía a guarnecer la boca del pasillo con su postura acuclillada y una expresión a primera vista imperturbable, como si hubiera estado en aquel mismo lugar durante toda la noche. Sostenía un pequeño envase de ron y con la otra mano rebuscaba en un bolsillo, con aires de quien se dispone a asombrarse de lo que carga encima. La Bella Repatriada pasó por su lado sin saludar y él intentó detenerla sin mucho énfasis; después hizo un gesto de postergación y se llevó la bebida a los labios, se dio un buche, se dio otro más despacio y pareció por su cara que dudaba del sabor de la bebida. Volvió a escudriñarse el bolsillo. Murmuró:

—Total, que la despierte, que la joda, que le amargue la vida con ese pánico que lleva —y miró severamente la caja de cartulina encerada, antes de lanzarla hacia la calle.

En cuanto se abrió la puerta, la Bella se abalanzó sobre Yamilé y le exigió que la abrazara, que no dijera una palabra, que le demostrara cuán amigos eran. Pero era ella la que abrazaba a Yamilé casi con violencia y resollaba en su cuello. Después se apartó un poco para tomarle una mano, que se puso sobre el pecho.

Yamilé la miraba sin comprender aún, con cara de sueño más bien, de no creer que alguien fuera capaz de despertarla con aquella impudicia. Retiró la mano. Era verdad que aquel corazón parecía trastornado.

—¿Viste cómo me retumba? —dijo la Bella entrecortadamente y buscó la aprobación de la otra—; ¿tú habías sentido antes una palpitación así?

Yamilé se dejaba abrazar, pero seguía pensando en lo extremadamente temprano de la hora; nada excusaba aquella arremetida de la Bella Repatriada, se decía maldiciendo casi al mismo tiempo a Azazelo, por no cumplir con evitarle visitas esa mañana; maldito Azazelo, que permitía que su jornada comenzara de aquel modo.

—Está bien —dijo a toda la monserga de la recién llegada y se apartó finalmente—. Está bien, Bella, cálmate para que me puedas contar.

De la versión que le confió a su anfitriona, la Bella Repatriada expurgó mucha realidad y sólo prevaleció una cercana persecución, un miedo innegable y la necesidad de permanecer unos días inmóvil, para, más tarde, incluso, salir de la ciudad. "Al campo", decía, "a pastorear vacas, a cuidar un faro, pero bien lejos". Estaba más quieta ahora y bebía breves sorbos de agua al tiempo, porque era al tiempo como, según Yamilé, calmaba los nervios. Se sentía agotada, por lo que se fue dejando convencer y al final celebró que su amiga le propusiera acostarse un rato:

—Te das un baño, te hago un café retinto y después vas para mi cama y te duermes, y te levantas a la hora del almuerzo, y si no te da la gana, pues no te levantas —decía Yamilé y tiraba (ahora cariñosamente) del camisón de la Bella, húmedo todavía por el sudor—. Esta ropa se puede exprimir, ¡uy, muchacha! —dijo, y se fue llevándola con la punta de los dedos, separada del cuerpo.

El agua tibia le transfería a la Bella una serenidad provisional suficiente para hacer que se demorara bajo la ducha y comenzara a posponer cualquier razonamiento acerca de su estado. Primero dudó frente a la boca del tubo desprovisto de la pieza final con los hoyuelos que amortiguaran el chorro, que lo convirtieran en aquella lluvia fina que tanto le agradaba. Pero al abrirlo notó que el agua caía sin fuerza, un chorro ecuánime que parecía arrullarle la espalda y en su carrera hacia abajo le producía un escozor, diríase atinado. Cerró los ojos y se abandonó a aquella cascada mezquina, la cual era suficiente sin embargo para provocarle el deseo de estar allí por un buen rato, a recaudo del mundo y del sobresalto que presentía para cuando estuviera ya seca y vestida, a merced de lo que se le ocurriese a la anfitriona. Se dio la vuelta. Recogió agua en el cuenco de las manos y se frotó la cara. Se disponía a repetir el acto cuando, al mirar hacia arriba, se dio cuenta de que el tubo sin la pieza aspergente semejaba un falo de níquel soltando su orina interminable. La coincidencia no le desagradaba. Recogió otra porción de agua y se la echó en la cara. "Un falo en lo alto que te lave toda; de mierda y de tiempo, de lo malo que ya fue y de lo que pueda acecharte, del pavor que te da todo este lío y del que te das tú misma", pensó. Resopló raramente satisfecha y se colocó nuevamente de espaldas al chorro y entonces tuvo deseos de orinar. Pujó con levedad y empezó a deshacerse de un líquido del color del heno que comienza a secarse. Cerró los ojos y recordó que había estado sin orinar toda la noche, y comprobó que, en efecto, era una meada luenga, casi automática y pudo distinguir su olor sin enfado. Abrió los ojos sin acabar de vaciarse y vio a Yamilé casi encima suyo y notó que había puesto una mano debajo del chorro de orine y que lo miraba con los labios entreabiertos. Contuvo el chorro, pero ella lo conminó.

—Termina —le dijo y esperó para frotarle el pecho con lo que le cabía en la mano. Después lo probó con la punta de la lengua—. Saladito —se contoneó—, como me gusta a mí.

La Bella guardó silencio. Yamilé se enjuagó la mano con agua de la ducha y le mostró una toalla.

—Ven acá, que ahora te voy a secar bien —dijo, y la Bella cerró la ducha y dio dos pasos resoplando por lo bajo.

Yamilé le echó la toalla por los hombros y comenzó a friccionar con giros suaves: la cara, el cuello, el pecho, el vientre. Después la colocó de espaldas y le secó los omóplatos, las nalgas, con una aplicación de nodriza que parecía no tener fin. Le indicó que se volviera para secarle los muslos, pero antes se detuvo en el delta de la entrepierna. "Álzate eso", dijo, y cuando la Bella elevó el animal hacia el ombligo, frotó los testículos y más atrás, casi hasta el ano. "Los pies te los seco en la cama", explicó luego, y la hizo meterse en el cuarto. Le indicó que se sentara en la cama y se dejó caer en el suelo, cogió la toalla y comenzó a secarle los pies, y la Bella la dejaba hacer porque en ese momento sólo sabía que tenía sueño, "que era una suerte tener tanto sueño", pues tenerlo resultaba una forma de seguir aplazando las negociaciones sobre su futuro.

Cuando se despertó, Yamilé todavía estaba allí. Eran sus ojos los que acusaban un mirar prolongado, comprendió la Bella, pero no conseguía explicarse la razón de que hubiera decidido velarle el sueño. Tampoco necesitaba demasiada lucidez para comprender que ahora los ojos la miraban distinto; a todas luces carecían de aquel matiz de hospitalidad de por la mañana. Recostada en una poltrona de damasco antiguo —un facsímil de damasco ya—, su anfitriona la observaba con una sonrisa que no le exigía despegar los labios, y para colmo tampoco era posible saber si resultaba mordaz en broma o muy en serio. La Bella se incorporó levemente. Apoyada sobre un codo, sonrió a su vez y dijo:

—¿Llevas mucho rato ahí?

Yamilé suspiró y se puso de pie. Se acercó sin contestar y se posó a los pies de la Bella, que la recibió con otra pregunta.

—¿Qué hora será? —y bostezó.

Lo hacía para seguir dándole largas a la situación, por miedo a oír a Yamilé, a que se le ocurriera echarla de la casa.

—Tenemos que hablar en serio —susurró Yamilé, desatendiéndose de la pregunta.

El susurro seguía siendo irónico, y a la Bella, semidesnuda todavía, le produjo una inesperada sensación de pudor. Con las piernas recogidas, casi en cuclillas sobre el colchón, creyó sentirse más resguardada, pero enseguida entendió que era inútil, que el hablar como a hurtadillas de Yamilé buscaba reforzar su atención y aturdirla, litografiarse en su memoria, acorralarla.

Trató de no pensar mucho en lo que escuchó después:

—Tu problema es complicado, Bellita —hablaba demasiado lentamente para el gusto de la Bella. Hablaba como desde lejos y eso a la otra le causaba ansiedad—. Complicado, no; fenomenal —puntualizó Yamilé.

La Bella no dijo nada, pero no pudo seguir ocultándose su propia angustia.

—Azazelo ya me averiguó algunas cosas —explicó Yamilé—. En realidad, hace tiempo que lo tengo en esas gestiones y hay detalles que me asustan.

—¿Qué detalles? —se defendió la Bella mecánicamente, pues todo se le tornaba claro— ¿Qué detalles?

—Yo me erizo —dijo Yamilé en lugar de responderle.

La Bella Repatriada se dio cuenta de que debía ganar tiempo y para ello era preciso saber hacia dónde exactamente iba Yamilé. Inició una frase ambigua, tan evasiva que sólo conseguía divertir a la otra, quien, con un gesto rápido de la mano, le ordenó callar. Tensó la pausa por unos segundos en los cuales la Bella Repatriada se olvidó de pestañar. Después readoptó una expresión caritativa, de dueña de casa.

—Trabajarás para mí —explicó—. Serás mi mula por un periodo que ojalá sea largo.

La Bella se había quedado sin expresión; su cara no reflejaba mucho más que vacío.

—Mi mula —repetía Yamilé—. Mi mula y a veces también mi caballo.

Índice

Bailar contigo el último cuplé, de Rogelio Riverón, fue impreso y terminado en marzo de 2009 en Encuadernaciones Maguntis, Iztapalapa, México, D. F. Teléfono: 5640 9062. Cuidado de la edición: Karla Bernal Aguilar.